Un fantasme nommé Juppé

DU MÊME AUTEUR

Essais

Cécilia (sous le nom d'Anna Bitton), Flammarion, 2008.
Villepin, la verticale du fou, Flammarion, 2010.
Juppé, l'orgueil et la vengeance, Flammarion, 2011.
Entre deux feux, Grasset, 2012.
Quelques minutes de vérité, Grasset, 2016.

Roman

Inapte à dormir seule, Grasset, 2010.

Anna Cabana

Un fantasme nommé Juppé

Stock

Couverture Coco bel œil
Illustration de couverture : © François Boucq

ISBN 978-2-234-08245-8

Prologue

Cher fantasme. Ainsi lévite Alain Juppé, désormais. Les hommes estiment sa dignité, quand ils ne vont pas jusqu'à le prendre pour un sage. Il a ce petit air pincé et excédé qui lui confère, en toute situation, une contenance – et une assurance – de bon aloi. Ce don de la synthèse – car la supériorité de l'intelligence de Juppé réside avant tout dans cette capacité à rendre limpides et fluides deux, trois, voire vingt idées qui ne sont pas de lui. « Au bout d'une minute trente avec lui, on a fait le tour du sujet, quel qu'il soit. Chaque fois, c'est pareil, je ne vois pas ce que je pourrais ajouter, raconte le président des Républicains Laurent Wauquiez, pourtant peu suspect de juppéophilie. C'est énervant. » Impressionnant, aussi. Toujours Juppé sait raison garder, et par ces temps incertains, cette pondération passe pour la plus vertueuse des qualités.

Lui me le dit avec ravissement : « Aujourd'hui, ma posture "droit dans ses bottes" plaît. »

Il ne fait pas fantasmer que les hommes. Il n'a pas son pareil pour donner aux femmes l'envie de le dévoiler, et d'abord à lui-même, pensent-elles. Parce que la distance, terrible, âpre, qu'il établit d'emblée entre lui et l'autre a comme un goût de défi. Il est tentant, très, et même grisant, de se confronter à elle, à lui. D'essayer de l'abolir, elle. De le toucher, lui. Pour qui a de l'audace, il est un cœur, non pas à prendre – car il est pris, depuis longtemps, par sa femme Isabelle – mais à mettre à nu.

La mise à nu de Juppé, voilà la bravade de l'époque. Le pari chic et choc. On y est toutes passées, ou presque, à un moment ou à un autre. Car il ne faut pas s'y tromper : ce n'est pas un hasard s'il inspire les journalistes, des plus ingénument talentueuses – Camille Vigogne[1] – aux plus malicieusement trans-gressives – Gaël Tchakaloff[2]. Toutes, tour à tour, nous l'avons soupçonné d'être un feu sous la glace.

Est-ce sa froideur ? Son incroyable manque de patience ? Sa haine de la bêtise ? Ses belles mains ? Son sourire qui demande pardon de paraître si peu sympathique ? Son ennuyeuse prudence ? Son

---

1. *Je serai président. L'histoire du jeune et ambitieux Alain Juppé*, éditions Le Tengo, mai 2016.
2. *Lapins et merveilles. 18 mois ferme avec Alain Juppé*, Flammarion, avril 2016.

conformisme ? Son angélisme idéologique ? Tout cela à la fois ?

Un homme si raide recèle forcément de précieuses meurtrissures. C'est ce dont se convainc tout esprit romanesque qui se respecte, quand il bute sur un être comme Juppé. Ajoutez à ça la tragédie politique dont il fut le héros et qui l'a « brisé », comme il dit. On connaît l'histoire – depuis que Juppé est passé des tréfonds de l'impopularité aux cimes des sondages, il est interdit de ne pas la connaître, elle fait partie de cette mémoire, de cet inconscient collectif qui jamais ne nous laisse en paix : celui que Jacques Chirac avait choisi entre tous fut fauché par les grèves de 1995 puis la condamnation dans l'affaire des emplois fictifs, il ne devait pas s'en relever, il se croyait maudit. Il était le remords, un fantôme qui hantait la mauvaise conscience de la famille gaulliste, les ténors de la droite s'en voulaient de l'avoir laissé payer pour les autres, il leur inspirait des bouffées de regret et, aux Français aussi, il était l'homme qui devait être roi et que son petit-fils, pour le consoler, avait baptisé « président de la République de Bordeaux. » « Il ne peut pas finir comme ça, ce n'est pas possible », s'affligeait Christine, sa première épouse, à l'hiver 2006. Elle a été exaucée.

Le remords est devenu fantasme. Les Français l'ont choisi par contraste… presque trois ans avant l'élection présidentielle ! Il est leur président de papier. Comment être à la hauteur d'une telle promesse ? Le fantasme est condamné à décevoir. Même le plus parfait d'entre eux, surtout le plus parfait. Juppé est guetté par le syndrome du plus que parfait...

Il avait oublié ce que c'était que d'être aimé, il s'en enivre, il est si heureux, il fait plaisir à voir, il ne veut rien d'autre, il a tellement peur que ça s'arrête, ce bonheur l'entrave. Le condamne à la prudence.

Il n'y a pas de feu caché. J'ai mis quinze ans – et tant d'heures d'entretien avec lui... – à le comprendre. C'est justement ce qui plaît aux Français. S'ils le regardent aujourd'hui avec espoir, c'est parce qu'il n'est pas aussi fou que les autres – pas fou du tout, même. Juppé aura réussi cet étrange exploit : être un fantasme qui ne brûle pas.

« Retour d'Islande »

« Un livre sur Alain ? Vous pourriez l'intituler "Retour d'Islande" ! » Rire canaille. En cette fin août 2016, au lendemain de son entrée officielle en campagne pour la primaire, Nicolas Sarkozy se moque. « Retour d'Islande », me répète-t-il, content de son titre, tandis que défilent dans ma tête des images lunaires d'une île glacée-glaciale, du froid partout, encore et encore. L'ancien président poursuit : « Sur moi, on ne dirait pas "retour" ; on dirait : "En route vers les pays chauds." » Ben voyons !

Ainsi sont-ils, ces deux-là. Comme chien et chat. Ils se connaissent trop bien, depuis trop longtemps. Ils s'obsèdent. « Ils sont tous nuls, il n'y en a que deux, toi et moi ! » Juppé m'a raconté que c'est ce que Sarkozy lui répétait à chaque rencontre, dans les mois qui précédèrent sa déclaration de candidature *via* son blog, le 20 août 2014. Juppé était content d'entendre cela. Mais il se retenait de l'être trop. « Il doit dire la même chose à d'autres. » Je sentais qu'il espérait qu'il n'en fût rien. Sourire minaudeur de l'intéressé. « Nicolas n'a pas tort, il n'y a que lui et moi… »

À présent, ils estiment que le débat de la présidentielle de 2017 se situe entre eux et eux seuls. Que l'un des deux sera chef de l'État, en mai prochain : celui qui sortira vainqueur du deuxième tour de la primaire de la droite et du centre, le 27 novembre.

Sarkozy est convaincu de détenir une arme secrète : il a le don de faire sortir Juppé de ses gonds. De le « mettre hors de ses sens », comme dit Juppé. « Plus Alain se crispe, plus il dévisse », m'expose Sarkozy lors de ce déjeuner de rentrée, alors même que les sondages montrent tout sauf une chute libre de Juppé. Tandis que Sarkozy insiste – « ça ne fait que baisser, pour Alain » –, je lui demande s'il persiste à penser ce qu'il me disait quelques mois plus tôt : « Juppé, c'est Balladur. » Il sourit aux anges – et aux démons : « Pourquoi voulez-vous que je sois désagréable à ce point avec M. Balladur ? S'il y a bien quelque chose qui énerve Balladur, c'est ça. Que Juppé lui soit comparé. » Sarkozy a un air de chenapan, ce disant. Il est ravi.

« Il y a entre nous, je crois, une estime réciproque », écrira Juppé moins de deux semaines plus tard dans son quatrième livre de campagne, *De vous à moi*, ouvrage que, depuis, Sarkozy a brocardé devant moi chaque fois que je l'ai vu. « Gratuit et numérique, pfffff ! Bon, on ne risque pas de comparer les ventes avec le mien, hein ! Quelle est la valeur de l'écrit ? Surtout que c'était pour le livre personnel ! » La fois suivante : « Soixante pages, Alain a écrit un livre de soixante pages, pfffff ! »

« Une estime réciproque », disait Juppé. Ce n'est pas faux, pourtant. « Alain » et « Nicolas » ne sont pas seulement liés par les combats qu'ils ont, trente ans durant, menés l'un contre l'autre pour avoir la préférence de Chirac. Ils ont aussi des émotions d'hommes en partage, et notamment le désarroi de Juppé quand, ministre des Affaires étrangères de Sarkozy, il a traversé des turbulences conjugales. Il est venu, seul, au cap Nègre, dans la résidence d'été des Bruni ; il s'est confié, mais chut, c'est un secret. « Je l'ai vu mal, Alain, me confirme Sarkozy. Son amour pour Isabelle est très respectable. Il aime une femme qui n'est pas facile. Il est très sentimental. C'est ce que je préfère chez lui. Les sentiments, ça m'intéresse. Comment on peut perdre la tête. Voilà ce qui me plaît, dans la vie. » Soudain, il est comme radouci, Sarkozy.

Pour un peu, on décèlerait presque de la fraternité dans sa voix. Est-ce pour la chasser qu'il se racle la gorge ? L'instant d'après, il revient crânement à ce qui les oppose, la politique, il parle de leur posture idéologique respective dans le petit jeu de la primaire, et il montre ses muscles de jeune soixantenaire : « Il faut me passer. Alain va me passer par où ? Par l'énergie ? Hihi. Par quoi ? Haha. » Il n'aurait su mieux rappeler que Juppé a dix ans de plus que lui. « Il faut me passer. » Cette expression de footballeur maltraite la grammaire, la syntaxe et le reste ; mais l'image est limpide. Physique. Puissante. « Me passer », il a dit. Juppé ne l'a pas exposé en ces termes. « Je sais qu'il va y avoir un affrontement avec Sarkozy. Un affrontement physique », m'a-t-il affirmé à l'été 2014, juste avant de prendre son élan et de se lancer dans la bataille. « Un corps-à-corps », il a ajouté. Et il m'a redit ce qu'il m'avait déjà si souvent raconté : « Dans un tête-à-tête, Nicolas s'empare de vous presque physiquement. Il faut vraiment avoir une certaine force de résistance pour ne pas céder. C'est assez curieux. Je crois que ça fait partie d'une forme de… charisme, oui, charisme. »

Le normalien sachant écrire, parler, problématiser, synthétiser, rationaliser, envie la vitalité teigneuse et accrocheuse de « l'autre ». Mais attention, ce que Juppé admire chez Sarkozy le rend fou. Et d'abord le toupet, ce culot phénoménal qui lui fait tellement défaut, à lui, Juppé. « Nicolas est un filou ! » dit-il souvent. Même quand l'œil de Juppé s'enivre de rage, les éclats d'admiration ne disparaissent pas tout à fait. Et l'on voudrait nous faire croire que ces deux-là ont une relation normale ?

Que faire de l'autre quand il vous fascine autant qu'il vous révulse ? Cette question hante leur relation. Ils n'y ont jamais apporté que des réponses provisoires. Ils sont un problème l'un pour l'autre : chacun renvoie son rival à ses propres insuffisances. Y a-t-il rien de plus insupportable ? Et cependant de plus aimantant ?

L'obsession de Sarkozy

Il le répète trop pour que ce ne soit pas suspect. Alain Juppé n'en finit plus de jurer qu'il ne fait campagne contre personne, qu'il ne se définit pas par rapport à ses concurrents, qu'il ne laissera pas « Sarko » – il l'appelle ainsi depuis trente ans ; jusqu'au bout il l'appellera comme ça – lui imposer son tempo. Bla bla bla. Depuis cette rentrée – la dernière avant la présidentielle –, l'ancien Premier ministre n'en finit pas de prouver l'inverse, en se saisissant de toutes les occasions pour répondre à Nicolas Sarkozy. Et d'abord sur un sujet : l'identité et l'islam. Juppé passe son temps à se défendre d'être l'angélique en chef dépeint par Sarkozy. Il n'est que de voir comment, à Chatou, le 27 août 2016, il a consacré une large part du « discours le plus important de sa vie politique » – dixit l'un de ses lieutenants – à prouver qu'il n'est pas naïf.

Et de proposer aux « Français musulmans » « un accord solennel entre la République et les représentants de leur culte ». Une belle intention, mais avec qui va-t-il conclure cet « accord solennel » ? Il y a mille islams de France...

« Je ne vois pas de différences entre Hollande et Juppé sur l'identité », souligne Nicolas Sarkozy en s'assurant, dans un sourire, que j'ai goûté la vilenie de sa remarque. En privé, le ministre – de Hollande ! – Jean-Marie Le Guen fait la même analyse : « Si l'on divisait le monde politique entre "différentialistes" et "universalistes", Juppé se situerait dans la première catégorie, au côté de François Hollande. En face d'eux : Nicolas Sarkozy et Manuel Valls. » Une segmentation qui pourrait concurrencer le clivage gauche-droite.

Si le surnom d'« Ali Juppé » s'est répandu sur les réseaux sociaux, les laïcs, eux, tiennent le maire de Bordeaux pour un « gentil multiculturaliste ». Ils n'ont pas oublié qu'il a prôné des « accommodements raisonnables » – ce concept québécois au sujet duquel l'écrivain Abdelwahab Meddeb a eu des mots sans appel, devant la mission parlementaire sur la burqa, en 2010 : « L'idée canadienne des accommodements raisonnables me met en colère. Ces accommodements ont failli aboutir à l'application de la charia ! » Quand on vient le titiller sur ces questions sémantiques, Juppé s'irrite, et rétorque en parlant de « solutions de bon sens. » Est-ce parce qu'il a passé trop de temps au Canada ou bien parce qu'il est un enfant de feu la Halde de Jacques Chirac, cette Haute Autorité de lutte contre les discriminations et pour l'égalité, qui, au nom du respect des cultures, avait renoncé à l'universalisme, au point de condamner un dentiste ayant refusé de soigner une femme voilée ?

On ne compte plus le nombre de déclarations où Juppé, si précautionneux quand il s'agit de répéter que « l'islam n'a rien à voir avec l'islamisme radical », accole le mot intégriste à laïque... Et, pour fustiger cet « intégrisme laïque », il n'a pas hésité à se réclamer... du pape ! « Quand le pape dit que parfois on exagère la laïcité, il a raison », a-t-il déclaré au printemps 2016. Le même emprunte de sacrés raccourcis lorsque, au sujet des cantines scolaires, il s'exclame à l'occasion d'un grand entretien avec Alain Finkielkraut dans *Le Point*[1] : « Faudrait-il obliger tout le monde à manger du porc au moins une fois par semaine ! » Et il fait valoir un argument inouï pour justifier son hostilité à l'interdiction du voile à l'université ou lors des sorties scolaires : sa mère et sa grand-mère portaient le voile ! « Faisons preuve d'un peu de bon sens. En quoi ça me dérange, moi, qu'une jeune femme

---

1. *Le Point*, 14 janvier 2016.

porte un voile, un foulard plus exactement, sur la tête quand elle va à l'université ? En quoi ça m'a choqué, moi, de voir ma mère aller à l'église avec un foulard sur la tête ? De même, ma grand-mère ne sortait pas "en cheveux". » Lorsque, quelques mois plus tard, on le priera de clarifier ses positions sur le sujet, il conviendra que le foulard peut poser problème « lorsqu'il y a prosélytisme religieux ». Certes. Mais comment distinguer le port du voile prosélyte et celui qui ne l'est pas ?

Il en faudrait davantage pour que Juppé renonce à marcher vers cette « identité heureuse » dont il a fait son « objectif ». Au départ, c'était une conviction, puis, à force d'être poussé dans ses retranchements par Sarkozy, il en a fait une stratégie. « C'est mon obsession » dit-il désormais. Depuis la fin août 2016, il n'est pas une prise de parole publique où il n'ait martelé ces deux mots : « identité heureuse ». « Il a intérêt à l'incarner, analyse le politologue Frédéric Dabi, de l'Ifop. Il lui faut pousser la différenciation pour être le réceptacle des antisarkozystes. » En prenant la décision d'assumer politiquement son « bonheur d'être français » – le sous-titre de son dernier livre ; une autre façon de décliner le concept d'« identité heureuse » –, Juppé a créé une alternative au sarkozysme. Un contre-sarkozysme. Loin de la tonalité à laquelle il s'est essayé mi-juillet au lendemain de l'attentat de Nice, en étant le premier à cogner contre la gauche. Tout ça pour ne pas laisser à Sarkozy le monopole de la castagne – toujours cette obsession de l'autre… Ses amis ne l'ont pas reconnu. Ses ennemis non plus. On ne l'y reprendra plus. Il sera le modéré de l'histoire, point barre. Et tant pis si, parfois, il est « too much » – c'est son directeur de campagne Gilles Boyer qui me l'a lui-même confié – comme lorsqu'il invite mi-septembre les Français à rejoindre « la campagne joyeuse » (*sic*). C'est peu de dire que cette sémantique déroute Manuel Valls : « L'idée du bonheur, on peut intellectuellement la comprendre, mais les gens ont peur, ils sont paumés », me fait remarquer le Premier ministre, qui n'est pas convaincu par cette stratégie.

Sarkozy, lui, se réjouit d'avoir réussi, pense-t-il, à obliger Juppé à se positionner par rapport à lui. « Je lui sais gré d'assumer un débat avec moi : il veut vraiment être le candidat du centre ! » raille l'ancien président, ce même jour d'août, en faisant un sort à son foie gras. Rapporte-t-on ce brocard à Gilles Boyer qu'il s'exclame : « Nous, on ne méprise pas le centre ! C'est génial qu'il renonce à tous ces gens-là ; on les prend ! » Le grand manitou centriste François Bayrou, qui soutient Juppé, n'en a pas moins quelques motifs d'inquiétude : « Il faut que Juppé accepte d'être l'anti-Sarkozy. Il peut avoir sa peau s'il consent à s'affronter à lui. S'il délimite pour les Français les raisons qu'il a de s'opposer à lui. » Ne le fait-il pas avec l'« identité heureuse » ? Soupir de Bayrou : « Il faudrait qu'il choisisse les bons thèmes. Pas l'identité heureuse… »

Comment « Nicolas lui fait perdre jusqu'à son latin »

Hurler, verdir ou se fossiliser, quand ce n'est pas les trois à la fois : Alain Juppé n'a jamais su réagir autrement aux changements de pieds – et de mains – de Nicolas Sarkozy. « Mais tu disais l'inverse il y a une semaine ! Ce n'est pas possible d'être comme ça ! », fulminait-il naguère au bout d'un quart d'heure de discussion avec « l'autre ». « Nicolas lui fait perdre jusqu'à son latin », me racontait alors Dominique de Villepin, affligé.

Ça n'a pas changé. Même au firmament des sondages, l'ancien Premier ministre ne parvient pas à regarder Sarkozy autrement que comme un empêcheur de tourner en rond. L'affaire des « gauloiseries » en a offert une démonstration exquise, fin septembre 2016. Rappel des faits : Sarkozy a jeté un pavé dans la mare en évoquant les origines gauloises des Français ; Juppé a tweeté pour s'indigner de la « nullité du débat » puis asséné devant une forêt de caméras : « Faire campagne, ce n'est pas lâcher une incongruité tous les jours. » Et encore, il s'est retenu, il n'a pas dit ce qu'il martèle en privé : « Sarko dit n'importe quoi ! » Et il soupire, et ça l'énerve, tant et tant.

Il a beau connaître depuis deux ans les douceurs de l'extrême popularité, être devenu le favori entre tous, il n'a toujours pas appris à opposer un sourire malicieux à une provocation. Il ne sait pas faire comme si. Or qu'est-ce que Sarkozy l'escagasse ! Voilà quarante ans que ça dure et ça ne s'arrange pas. Lorsqu'il est arrivé sur l'île des Impressionnistes à Chatou, le 27 août 2016, il n'a pas réussi à contenir son agacement devant les journalistes qui le pressaient de questions sur l'ancien président. Non seulement il a ronchonné, mais il a carrément été cassant, tellement ça le faisait enrager, d'être encore et encore interrogé sur son rival. Il espérait avoir pris de la hauteur en s'envolant pour le Québec au moment où Sarkozy allait se déclarer officiellement candidat – Juppé, pour qui le Canada semble désormais tenir lieu de refuge en toute situation, a considéré que c'était la meilleure des positions à adopter pour ne pas subir le calendrier de son adversaire – et voilà que, dès son retour, il était accueilli par des reporters qui ne lui parlaient que de l'autre. Nom de nom ! Son sang n'a fait qu'un tour. « Il se sent tiré vers le bas », commente l'un de ses proches. Heureusement qu'il a changé de chemise et d'humeur avant de monter à la tribune. En bras de chemise blanche derrière le pupitre, Juppé a retrouvé la tranquillité et la satisfaction de se sentir aimé.

Il est « prêt », il l'a dit, à mouiller sa chemise. « Il faut nous lancer à corps perdu dans la compétition », a-t-il déclaré. « À corps perdu. » Des mots puissants, chez un homme qui n'est que modération et contrôle. Là, le « corps » est « perdu », donc hors contrôle... Juppé a admis qu'il n'échapperait pas à un combat physique contre Sarkozy. Et que l'autre sait y faire. Mieux que lui, beaucoup mieux.

Il n'est que de voir ce qui s'est passé le samedi 22 novembre 2014, dans un hangar du quai des Chartrons, à Bordeaux. Sarkozy, alors en campagne pour la présidence de l'UMP, tenait un meeting dans la ville de Juppé. Il n'avait pas choisi Bordeaux par hasard, il voulait obliger son maire à lui tenir la chandelle. Ce que Juppé entendait éviter à tout prix. Il avait d'abord tenté de se défiler, mais Sarkozy avait proposé de s'adapter à son calendrier, Juppé a donc été contraint de l'accueillir chez lui. À 16 heures, Yves Foulon, le sarkozyste local, député-maire UMP d'Arcachon, prit sa meilleure voix pour appeler sur la scène les acteurs du spectacle du jour : « J'ai le plaisir d'accueillir à Bordeaux Nicolas Sarkozy et Alain Juppé. » Applaudissements des militants. Les deux hommes n'arrivèrent pas. « Alors ils vont arriver ! », reprit Foulon en forçant son sourire. « Alors les voilà ! », promit-il avec un entrain surjoué. Toujours pas. « C'est le meilleur, le temps d'attente », poursuivit-il. « Ils arrivent ! » On aurait dit un mauvais sketch. Le pauvre Foulon dans le rôle du bouffon. Il le prenait très à cœur, ce rôle : « Ils sont en train d'arriver, ils se dirigent vers nous, nous allons les avoir, tous les deux, main dans la main, dans moins d'une minute. » On les imaginait, Juppé et Sarkozy au pays des Bisounours, arriver amoureusement. Et on avait envie de pouffer. Évidemment, ce ne serait pas le cas. Cela ferait d'autant plus ressortir, par contraste, le malaise.

« Nicolas Sarkozy à Bordeaux accueilli par Alain Juppé, mes chers amis, une ovation. » Cette fois, ils arrivèrent. Ils ne se touchaient pas. Pas du tout. Électricité dans l'assistance. Et là, des sifflets saluèrent Juppé. Les deux hommes marchaient toujours côte à côte vers l'avant de l'estrade. À cet instant, Sarkozy semblait avoir rallongé de contentement et Juppé avoir rétréci sous l'effet de la rage. Le premier mit alors le bras derrière le deuxième. Qui évita l'accolade en fonçant vers le pupitre. Il était blême. « Cher Nicolas, bienvenue à Bordeaux. » Fusèrent de fervents « Nicolas, Nicolas ». Juppé se momifia. « Je suis plus que jamais convaincu qu'il faut un large rassemblement de la droite et du centre. » Des cris résonnèrent. « Hou ! Hou ! » Ces huées qui feraient l'ouverture des journaux télévisés de 20 heures et qui redoublèrent quand l'ancien Premier ministre ajouta qu'il fallait « préparer une primaire ouverte ». « Nicolas, Nicolas », répliqua une poignée de militants. Juppé était tendu comme un ressort qui ne veut pas lâcher : « Vous me connaissez, je ne suis pas du genre à me laisser impressionner par des mouvements de foule. Nous aurons des primaires ouvertes. » Des « Non ! » déchirèrent le public. Assis comme Foulon sur un petit fauteuil en similicuir, non loin du pupitre, Sarkozy opinait.

Après ce mini-discours verglacé, Juppé descendit prestement de la scène et alla s'asseoir au premier rang. Sarkozy lui succéda derrière le pupitre. Aussi réjoui que Juppé était marbré. « J'ai voulu venir à Bordeaux, j'ai appelé Alain Juppé. Alain et moi, nous nous sommes rencontrés, pardon de le rappeler Alain, en 1975. Ça ne se voit pas physiquement... » On ne saurait mieux dire que Juppé n'est plus tout jeune. « Pour notre famille politique, avoir un homme de la qualité d'Alain Juppé, c'est un atout, ce n'est pas un problème. » Le fait même de le dire est une perfidie. « J'aurai besoin de vous tous, et notamment de toi, Alain, ta place est avec nous. » Histoire de se situer au-dessus. Quelques minutes plus tard : « Comment voulez-vous qu'on nous fasse confiance si, moi venant à Bordeaux, Alain ne m'accueille pas ? Ou si je dis : "J'irai partout sauf à Bordeaux" ? » Il fallait voir comment ça l'amusait, de décrire l'air de rien le piège par lui tendu à Juppé. Il faisait des clins d'œil. La salle riait. « Vous savez, Alain s'en souvient, j'ai eu droit à des sifflets dans ma famille politique. On les a sentis, quand on est entré avec Alain. C'est ça, la vie. » Au cas où quelqu'un n'aurait pas entendu les huées contre Juppé à leur arrivée… « Au moment des primaires, ça va être tellement bon de pouvoir débattre. » Ce disant, un sourire gourmand barra son visage. Il ferma ses poings et les leva. Comme grisé par l'odeur de la poudre.

À 17 h 13 retentit *La Marseillaise*. Juppé fut le dernier à monter sur la scène. Il s'ingénia à éviter de se retrouver à côté de Sarkozy, atterrit près de Michèle Alliot-Marie, Nathalie Kosciusko-Morizet et Laurent Wauquiez. À la fin, alors qu'il s'apprêtait à descendre, il se ravisa, alla vers Sarkozy, qui avait la main en l'air en signe d'énergie et de victoire ; Juppé se pencha vers lui, tête un tout petit peu baissée et main tendue, « Nicolas, je vais y aller », ils se serrèrent la main quelques instants sur le devant de la scène, puis Juppé s'en alla, puis il revint, il retendit la main ! On se pinçait. Décidément, ce serait clowneries et compagnie jusqu'au bout. Les photographes étaient désappointés : aucun d'eux n'avait réussi à faire une photo où Juppé n'ait pas l'air crispé.

Morale de l'histoire : malgré des enquêtes d'opinion qui auraient dû lui donner les nerfs d'acier du gagnant, il sortit médiatiquement défait de cette séquence. On ne l'y reprendrait plus, il se l'est juré.

Monte-Cristo ? Si seulement...

Juppé aurait pu être le Monte-Cristo du siècle. Il a tout pour cela. Le sentiment puissant de l'injustice. Le sens aigu de la rumination. Et presque le même nombre d'années de calvaire qu'Edmond Dantès. « Il faut que je me venge, car quatorze ans j'ai souffert, quatorze ans j'ai pleuré, j'ai maudit ; maintenant, je vous le dis, il faut que je me venge ! (…) Malheur à ceux qui m'ont fait enfermer dans cette sombre prison, et à ceux qui ont oublié que j'y étais enfermé ! », jurait le héros d'Alexandre Dumas au moment où il a recouvré sa liberté. Alain Juppé a vraiment recouvré la sienne en 2014, quand, après dix-sept années passées à croupir dans un gouffre sondagier, politique et judiciaire, le supplicié de la droite a été hissé, par la grâce et la magie des retournements de la vie politique, au rang de présidentiable préféré des Français.

La chute fut d'autant plus brutale que tout avait d'abord souri au plus brillant de sa génération – Chirac, les femmes, la carrière. Jusqu'à ce que le sort s'acharne, qui par trois fois le frappa. Il y eut, en 1997, la dissolution ratée qui le catapulta hors de Matignon. Puis, le 21 août 1998, il se vit signifier sa mise en examen dans l'affaire des emplois fictifs du RPR pour « détournement de fonds publics, complicité et recel d'abus de biens sociaux, abus de confiance aggravé, prise illégale d'intérêts et complicité et recel d'abus de confiance » qui aboutit, en 2003 puis en 2004, à sa condamnation, en première instance puis en appel. Troisième acte de la tragédie : en juin 2007, ses chers Bordelais lui portèrent le coup de grâce, un mois seulement (!) après qu'il avait consenti à venir servir son rival de toujours, Nicolas Sarkozy, en tant que numéro deux d'un gouvernement dirigé par son ancien ministre délégué chargé de la Poste, François Fillon. Battu aux législatives par une inconnue, il fut congédié en vertu de cette règle édictée par Fillon avant lesdites élections : tout ministre-candidat défait se doit de tirer sa révérence gouvernementale. Obligé de démissionner de ce ministère de l'Environnement et du Développement durable dont il fut le moins durable des tenanciers.

À l'époque, toute la classe politique compatit, jusqu'aux plus proches collaborateurs de Sarkozy, c'est dire... « Ce qui est arrivé à Juppé, ça ne donne pas envie de faire de la politique », s'apitoyait Franck Louvrier, le Monsieur Communication de l'Élysée, peu coutumier de pareils états d'âme. Jérôme Peyrat, alors conseiller parlementaire du président, tentait l'exorcisme par l'ironie : « Juppé, c'est l'histoire d'un polytraumatisé de la route qui sort enfin de l'hôpital, qui fait 3 kilomètres et qui a un accident de vélo. » Et qui se drapa dans l'orgueil – puisqu'il ne lui restait plus que cela. « Si c'était à refaire, je referais tout. On a besoin, de temps en temps, dans la vie publique, dans la vie des peuples, d'un homme droit dans ses bottes. C'est peut-être ça qui manque à la France. » Proclamation géniale. Décalée. Insensée. Car il me disait ça en 2007, quand Sarkozy était au plus haut et lui au plus bas ! Même alors, au fond de sa geôle symbolique, il n'avait renoncé à rien, et surtout pas à son sentiment d'être le meilleur. Il ressassait son amertume, son incompréhension, tout en veillant sur ce qu'il croyait être son bien le plus précieux : l'orgueil. Pas sûr que ce soit le meilleur aiguillon pour accomplir une vengeance. Ça paralyse... Le vengeur d'Alexandre Dumas n'avait pas cette entrave, lui.

L'homme que Nicolas Sarkozy fait re-revenir au gouvernement en novembre 2010, au poste de ministre de la Défense, parce qu'il a besoin de renfort, n'est qu'orgueil. D'ailleurs il aurait voulu bien davantage que la Défense. Ce que nul n'a su – et même pas Sarkozy ! –, c'est qu'il désirait secrètement… Matignon. Chuuuut ! Il n'avait pas formulé ce désir que déjà, la seconde d'après, il se blindait contre les déconvenues. Sa herse ? L'orgueil, pardi ! Encore et encore. « Nicolas a la trouille. Je lui fous la trouille. » Temps d'arrêt. « Il y a deux raisons pour lesquelles il ne me nommera pas Premier ministre. Primo, ça fait remake. Il pense que je n'ai pas une image assez positive. Secundo, je lui fous la trouille. » « Trouille. » C'est la troisième fois en moins d'une minute que Juppé brandissait ce mot d'argot comme un bouclier contre la déception. Quitte à être lucide, autant exhumer la plus glorieuse des raisons que l'on pourrait avoir d'être empêché d'obtenir ce dont on rêve : la « trouille » que l'on inspirerait à son rival de trente ans. Mieux vaut se croire craint que méprisé. « Aussi ne me demandera-t-il pas de remplacer François Fillon. » Le maire de Bordeaux était trop à son affaire pour remarquer notre mine effarée. On le serait à moins : voilà alors de longues semaines que le bal des prétendants à la succession de Fillon avait été déclaré ouvert par Sarkozy et que les gazettes égrenaient le nom des participants à cette vaste et interminable bouffonnerie : Jean-Louis Borloo,

Michèle Alliot-Marie, Bruno Le Maire, François Baroin, Christine Lagarde, etc. Mais personne, vraiment personne, n'avait songé à ajouter Juppé à la liste. « Ça ne me déplairait pas », m'assura-t-il dans un sourire vorace.

Il n'en toucha pas un mot à Sarkozy. « Je suis trop orgueilleux pour me pousser en avant », avouait notre homme. Et trop vindicatif.

Car les hésitations d'alors de Juppé doivent être lues à cette aune : il ne pardonnera jamais. Il considère que c'est lui, et personne d'autre, qui aurait dû être le candidat de l'UMP en 2007. Juppé a réchappé du cachot où les repris de justice, terrassés par l'aigreur de payer pour les autres, n'ont que deux options : se transformer en statue de sel. Ou en comte de Monte-Cristo. De la même manière qu'il éprouva jadis une « tentation de Venise » – du nom du livre par lui publié en 1993 –, il est saisi à l'époque par la tentation de Monte-Cristo...

Mais chez Juppé, les tentations ont tendance à le rester. Il ne s'est pas retiré à Venise ; et pas davantage métamorphosé en héros de Dumas.

Il avait pourtant bien commencé. Devant Sarkozy, il prit d'abord le soin (malin) de faire état des atermoiements que lui inspirait la perspective de revenir au gouvernement. Pas question que « Sarko » le tînt pour un homme facile ! Quand ils déjeunèrent ensemble fin août 2010 et que le chef de l'État lui proposa le Quai d'Orsay, le maire de Bordeaux mit un point d'honneur à refréner tout enthousiasme :

« Nicolas, je ne supporterai pas la cohabitation avec toi au Quai d'Orsay. Je ne veux pas porter ton cartable. Et je ne veux pas d'un ministre de l'Afrique officieux nommé Claude Guéant. Mais, plus largement, je ne suis pas sûr d'avoir envie de monter à bord du *Titanic*. Si tu te plantes à la présidentielle, j'aurai brûlé tous mes vaisseaux : je ne serai pas élu député et même pour les municipales de 2014, ce sera difficile...

– Ce sera pareil si tu ne viens pas avec moi et que je me plante. Qu'as-tu à perdre ? Si tu ne montes pas et que je perds, ça sera fini pour toi. Si tu montes à bord, tu peux m'aider à éviter le naufrage. »

Juppé se garda bien d'acquiescer, ce jour-là. Il entendait se faire désirer. Faire le difficile, aussi. « Je ne veux pas l'Intérieur, je n'aime pas les flics. Pas la Justice. Je déteste les juges, réfléchissait-il alors à haute voix. Il y a bien l'Écologie, mais l'élan est passé, l'opinion s'en fiche. Quant à Bercy, c'est un ministère où il n'y a que des coups à prendre : je ne veux pas être celui qui annonce la hausse des impôts. Reste la Défense. Quand Michel Debré est revenu au gouvernement après avoir été Premier ministre, il a choisi la Défense... » Tant pis si Juppé avait, en février 2009, dénoncé la décision de Sarkozy de réintégrer la France dans le commandement militaire de l'OTAN… Le précédent Debré valait bien un renoncement. Surtout que la position était avantageuse : depuis la Défense, Juppé pouvait espérer passer à l'attaque !

Non content de choisir son ministère, Juppé eut aussi son mot à dire sur le Premier ministre : il ne voulait pas de Jean-Louis Borloo. « Fillon est un faux-jeton, mais il est sérieux. Borloo, lui, est incapable de tenir Matignon ! Lui et moi, c'est l'eau et le feu. Je sais bien qu'avec son langage de marchand de frites, ou de merguez, il passe plutôt bien auprès des gens. Mais moi, je ne peux pas ! Si c'est Borloo, je ne sais pas si je reviens au gouvernement… », m'exposait-il en septembre 2010. Il en menaça Sarkozy en ces termes : « Borloo est manœuvrier et brouillon. Je ne lui fais aucune confiance. Si c'est lui, ça me posera un problème ! » C'est notamment pour ne pas « poser un problème » à Juppé que Sarkozy a *in fine* reconduit Fillon.

Ainsi se constitua l'attelage Juppé-Sarkozy. « Nicolas avait besoin de l'aide d'un homme comme Alain », résumait alors un lieutenant du président. Et Juppé avait besoin de se sentir indispensable à son meilleur ennemi. « Je suis dans une situation absolument déconcertante : depuis que je suis redevenu ministre, je passe mon temps à défendre Sarko », relevait en riant Juppé quelques semaines après sa nomination au ministère de la Défense. « Défendre Sarko ! Hahaha ! J'aime les défis ! » Il rit encore. Il n'était pas mécontent que « Sarko » soit devenu, si vite, si impopulaire. Pas mécontent qu'il ait dû se tourner vers lui pour retrouver politiquement un peu d'oxygène. Pas mécontent non plus de se livrer à un exercice impossible : « Défendre Sarko, hahaha ! » De l'intérêt d'avoir un esprit de contradiction acéré. « Dès qu'on me dit blanc, j'ai envie de dire noir. J'ai été de droite pour prouver qu'on pouvait être intelligent et de droite ! J'étais révulsé que tout le monde, notamment à l'École normale, considère qu'on ne pouvait pas être intelligent si on n'était pas à gauche. » Une explication extraordinaire. Déconcertante de franchise. Il est de droite par esprit de contradiction, et il le dit !

S'il s'est plu à soutenir Sarkozy entre 2010 et 2012, ce n'est pas seulement pour prendre le contre-pied du monde entier. Il y a aussi une saveur secrète : celle de la revanche. Parce que la renaissance politique de Juppé n'est pas seulement une revanche contre les coups du sort et de la politique, mais aussi contre un homme : Nicolas Sarkozy.

Nul n'ignore qu'entre le fils préféré de Chirac et le « bâtard », ce fut une drôle de guerre de trente ans, dont la première manche a été remportée en 2007 par le second. Mais ce que personne ne sait, c'est que Juppé suspecte son adversaire de naguère d'avoir attisé les deux affaires qui ont abîmé sa vie politique : le scandale de son appartement rue Jacob, puis les deux procès des emplois fictifs de la Ville de Paris. « Qu'on ne me prenne pas pour un con ou pour un naïf ! Je n'ai pas mené d'enquête, je n'ai pas de preuves, mais il suffit de se poser la question : à qui profite le crime ? », me confia-t-il tant de fois, entre sa condamnation en 2004 et son retour au gouvernement en 2010.

Quand il m'en a parlé pour la première fois, un jour de pluie, c'est tout juste s'il s'est arrêté pour reprendre son souffle. Encore moins pour enlever l'écume que le ressentiment déposait sur ses lèvres : « Si je ne suis pas aujourd'hui en situation d'être présidentiable, c'est d'abord parce qu'on m'a coupé les jarrets, et ça, je ne l'oublie pas ! fulminait-il. Je sais très bien que si tout est arrivé à partir de 1993, à partir du jour où Chirac a dit "le meilleur d'entre nous", ce n'est pas le fait du hasard. C'est quelque chose qui a été construit pour me mettre hors du jeu. L'histoire de mon appartement de la rue Jacob, un mois après mon accession à Matignon, n'est pas sortie comme ça. Jusque-là, je n'avais jamais été l'objet d'attaques de ce genre parce que je ne faisais pas peur. C'est à partir du moment où je suis apparu comme un acteur central que des gens ont voulu me détruire pour m'écarter de leur chemin. Il y a eu l'appartement de la rue Jacob, et puis bien sûr ensuite les emplois fictifs. Ça aurait pu prendre un cours radicalement différent si on avait assumé solidairement des responsabilités. Séguin et Sarko ont fait l'inverse... C'est eux qui étaient à la tête du parti[1] lorsque l'affaire des emplois fictifs a prospéré en justice... »

Juppé-le-condamné s'était convaincu que « Sarko » était tout sauf étranger à ces procès qui lui valurent la honte, le déshonneur, l'inéligibilité, l'exil et l'impossibilité d'être candidat en 2007. Sarkozy l'avait empêché d'accomplir son destin, pensait-il. Paranoïa ou vérité, qu'importe. Juppé l'a cru. Et cela seul eût suffi à le parer des habits de lumière amers du comte de Monte-Cristo.

A fortiori quand on sait qu'il n'est pas homme à « jeter la rancune à la rivière » – c'est son expression –, et qu'il a eu le temps de ressasser, tant de temps... « Je suis rancunier, oui. Il y a des trucs que je n'oublie pas », a-t-il coutume de dire. La vérité, c'est qu'il n'y a pas plus rancunier que Juppé.

Tous les ingrédients, donc, paraissaient réunis pour faire de Juppé le meilleur d'entre les Monte-Cristo.

---

1. Ils étaient respectivement président et secrétaire général du RPR.

Les astres, même, semblaient de la partie, qui s'étaient ligués pour le rendre increvable. Littéralement. Vous ne me croyez pas ? J'en veux pour preuve une scène qui eut lieu en plein ciel. C'était le 18 février 2011, peu après le coucher du soleil, dans un Falcon 900 aux couleurs de la République. Alors que le petit avion fendait les airs avec sa poignée de passagers – le ministre d'État et trois de ses collaborateurs –, des masques à oxygène jaune terreur tombèrent subitement devant notre nez. Alerte.

Cinq minutes plus tôt, Juppé faisait tinter la glace dans le verre de whisky qu'il avait commandé pour se détendre, après une longue journée passée à inspecter des bâtiments de la Marine dans la rade de Toulon. Tout en engloutissant des cacahuètes, celui qui était encore ministre de la Défense badinait avec ses conseillers. Ce vendredi-là, *Libération* avait publié un grand article sur le point G. L'interviewée – une belle gynécologue – était priée de trancher une question hautement politique : l'orgasme est-il de gauche ?

Calé dans son siège en cuir bleu, Juppé entendait bien participer lui aussi au débat. « L'orgasme est de gauche. Parce que la libération est de gauche… », pontifiait-il. Banal. Presque une abdication, pour un gaulliste. Un aveu d'impuissance. S'en rendait-il compte ? Il fronçait les yeux, cherchait mieux, croyait avoir trouvé une repartie moins résignée, la lançait à la cantonade : « Mais l'éjaculation est de droite ! » Il paraissait satisfait de cette réplique de garçon de bain. Un sourire enfantin barrait son visage de moine.

« Monsieur le ministre, ce n'est pas que je veuille changer de sujet, mais vous ne trouvez pas que ça sent le brûlé ? »

Retour brutal à un présent périlleux. Une fumée blanche s'échappe de l'avant de l'appareil, qui rapidement sature la cabine. C'est à cet instant précis que Juppé, pour la première fois en soixante-cinq ans et d'innombrables tours du monde, fait in situ connaissance avec les masques à oxygène. Il tente d'ajuster le sien, se trompe de sens, rectifie calmement. C'est tout juste si les rides qui assagissent son front paraissent plus creusées qu'à l'ordinaire.

Le steward a disparu ; le pilote ne donne aucune information. De longues secondes passent.

« Monsieur le ministre, nous ne parvenons pas à détecter l'origine du court-circuit, nous cherchons un terrain d'atterrissage pour nous poser au plus vite », assure au micro le commandant de bord. Dûment masqué, Juppé se redresse, prend une inspiration et étend ses mains devant lui, paumes contre la tablette. Étrange sang-froid. Survient une première dépressurisation. Une deuxième. Une troisième. Autant de bourrasques glacées. L'équipage sort des couvertures. Le plastique jaune placé telle une ventouse sur le nez et la bouche nous contraint tous au silence. Chacun scrute l'angoisse dans les yeux mouillés des autres – la fumée excite les glandes lacrymales. Soudain, Juppé soulève son masque. Juste le temps qu'il lui faut pour gratifier ses voisins de bord d'une remarque mémorable : « Maintenant, quoi qu'il arrive, sachez que, pour moi, l'orgasme aura toujours une odeur de brûlé. » Et de repositionner prestement son attirail respiratoire.

Cette histoire manque d'air, pas de souffle ! Lorsque, quinze minutes plus tard, l'avion a atterri sur le tarmac de la base aérienne militaire de Villacoublay, Nicolas Sarkozy a illico téléphoné pour s'enquérir de l'état de son ministre. N'était cette tenace odeur de brûlé qui ne l'a pas quitté de sitôt, Juppé se portait mieux que bien. Quand il est monté dans cet avion, il était un retraité flatté d'avoir, trois mois plus tôt, repris du service ministériel. Quand il en est descendu, il était cet homme réchappé des airs – et des enfers politiques –, qui renaît, non pas de ses cendres, mais d'une fumée non identifiée survenue en plein cœur des nuages. Si ce n'est pas un signe du Ciel… !

Mais il eût fallu assumer. Toujours Juppé a crevé d'envie de se venger, mais il est trop « convenable » – le mot est de François Bayrou – pour s'en donner les moyens. Parce que se venger, c'est tuer. Y être prêt, à tout le moins. Juppé ne sait pas faire.

Il a peur du sang. Enfant, la seule vision du liquide rouge le faisait s'évanouir. C'est d'ailleurs pour cela qu'il a abandonné sa vocation professionnelle première : devenir chirurgien...

Alors que même la folle naïveté de Dantès n'a pas résisté aux quatorze ans passés à croupir dans sa geôle du château d'If, les années de solitude et de désarroi de Juppé lui ont-elles permis de dominer cette peur ?

Il y a la peur du sang, et il y a celle de... Sarkozy. « Nicolas est capable de tout pour se débarrasser de moi. » C'est ce qu'il m'assurait, au cœur de l'hiver 2009. « Regardez ce qui s'est passé à Bordeaux dans l'indifférence générale. Il y a un coup qui a été monté », poursuivait-il, en faisant allusion à l'affaire dite des « notables bordelais ». « Ce ne peut être un hasard », disait-il, si, le 22 janvier 2007, au début de la campagne présidentielle, huit jours seulement après le congrès d'intronisation de Sarkozy, quatre personnalités bordelaises, dont trois réputées proches de lui, furent interpellées puis mises en examen. Le banquier François-Xavier Bordeaux, ancien chef de file de l'opposition socialiste locale sous Chaban-Delmas, sa maîtresse, la voyante Nicole Dumont, Jean-François Lhérété, directeur des affaires culturelles de la ville, et Martine Moulin-Boudard, avocate et adjointe au maire de Bordeaux, furent accusés d'avoir tenté de spolier une richissime octogénaire atteinte de la maladie d'Alzheimer.

Juppé n'avait pas de preuves, mais une suspicion – qui suffisait à l'effrayer : « Cette histoire est sortie pour me nuire, estimait-il à l'été 2007. Pourquoi, sinon, aurait-elle eu cet écho médiatique ? Et pourquoi a-t-on dit et redit que ces gens-là étaient proches de moi, alors que ce n'est pas vrai ? » Un argument que reprendra François-Xavier Bordeaux devant le tribunal, presque quatre ans plus tard, le 20 mai 2011. « Ce dossier a été instrumentalisé, arguera le banquier. "François-Xavier, c'est moi qui étais visé", m'a dit le maire de Bordeaux. » Et l'accusé de conclure : « Comme on a voulu se débarrasser de Villepin avec le croc de boucher, on a voulu se débarrasser de Juppé avec cette affaire pour les présidentielles. » « On. » Pour ne pas dire Nicolas Sarkozy. L'attaque de François-Xavier Bordeaux est transparente. Juppé, lui, me déclarait, à l'été 2007 : « Les crocs de boucher, ils sont pour tout le monde. »

Un jour de novembre 2009, il finit par lâcher : « Je connais le bonhomme. C'est un tueur sans foi ni loi. Je ne suis pas comme lui, moi, je ne suis pas prêt à tout. Je n'ai pas envie de tout sacrifier. Je ne veux pas exposer ma femme et mes enfants à une lutte sans merci. » Raclement de gorge. « Il me fait peur... »

Monte-Cristo n'avait pas peur. Longtemps Juppé a joué avec sa peur sans la vaincre. Au mieux il l'oubliait, comme le 14 mai 2011, soir de l'arrestation de Dominique Strauss-Kahn. Il était 19 h 30 en Haïti, la nuit était déjà presque noire, un voile moite avait recouvert Port-au-Prince, Juppé sortait d'un entretien avec le nouveau président, Michel Martelly, quand l'un de ses conseillers lui mit les premières dépêches sous le nez. Les sourcils du ministre des Affaires étrangères dessinèrent deux accents circonflexes hautement circonspects : « Ce n'est pas vrai, c'est une blague ! » Et Juppé de grimper à l'arrière d'un 4×4 blanc. Quand il en ressortit, quelques dizaines de minutes plus tard, on aurait dit que le rose lui était monté aux joues. « C'est confirmé », m'assura-t-il en dévoilant ses fossettes. Ce n'est pas tant le malheur de DSK qui le grisait, mais le sentiment, euphorisant, que la vie réserve des surprises qui défient l'imagination. Que l'impensable n'est pas impossible. Que le sort a parfois de ces ruses qui pulvérisent les évidences. Ça autorise tous les espoirs. Juppé était comme transfiguré. « C'est la preuve que tout peut arriver, en politique. Tout, tout, tout ! Rien n'est figé, rien n'est campé. La roue tourne, tourne, tourne... » Dans sa voix perçait une excitation guillerette et puérile. Ça n'aurait pu mieux tomber, il s'en allait justement retrouver des enfants. C'est peu dire qu'il fit honneur au joli spectacle donné par les bambins de la fondation Solidarité et Fraternité. Il fallait le voir taper dans ses mains en chantant à tue-tête : « Et le monde deviendra meilleur, et le monde deviendra meilleur ! »

Quelques heures plus tard, dans l'avion du retour, son humeur joyeuse ne l'avait pas quitté « C'est un voyage qui finit en beauté ! » Un collaborateur lui tendit un dossier, il l'ouvrit, prit un air consterné : « Oh merde, ce n'est pas vrai : Jacques Chirac a agressé une infirmière au Val-de-Grâce. » Et de s'esclaffer, ravi de sa blague. Il vida une bière, en commanda une autre. « Ça va se terminer mano a mano Aubry-Juppé », pronostiqua-t-il en pouffant. « Car si DSK est empêché, Sarkozy peut l'être aussi... » Et il riait, et il riait encore. « Il ne reste plus qu'à éliminer Sarkozy. Qu'est-ce qu'on pourrait avoir comme scandale à droite ? » Et de rire de plus belle. Envolée, la peur de « l'autre ». Le temps d'une soirée...

Monte-Cristo ne riait pas, lui ; il assouvissait sa vengeance. Terrassait ses ennemis. Pour l'instant, Juppé ne l'a fait qu'en paroles. Quand, Le 25 septembre 2010, soit moins de deux mois avant son retour au gouvernement, il s'amuse, en marge d'un déplacement dans l'Aude, à dépeindre Sarkozy en « dirigeant populiste guerroyant contre les élites », il ne réprime pas le sourire narquois qui alors lui vient aux lèvres. Pas davantage la vilaine raillerie qui l'accompagne : « Pour bien faire, il lui faudrait vingt centimètres de plus. » Il sait que rien ne blesse davantage « Nicolas » que ces attaques sur son complexe numéro un. Et puis « vingt centimètres de plus », c'est sa taille à lui, Juppé. « Pour bien faire, il lui faudrait vingt centimètres de plus », répéta-t-il, ravi de sa formule. Il n'aura raison de sa peur que le jour où il sera capable de dire ça à Sarkozy les yeux dans les yeux : « Pour bien faire, il te faudrait vingt centimètres de plus. » Ce jour-là arrivera-t-il jamais ?

Il fait des progrès remarquables – littéralement. Le tweet-coup de poing qu'il a posté le 22 septembre 2016 à 6 heures du matin, tout seul, sans en parler à personne, pour dénoncer la « nullité du débat » – lancé par Sarkozy, mais ça, Juppé ne l'a pas écrit – marque un tournant dans la campagne. Et dans la psyché politique de Juppé : « Il n'a plus peur de Sarkozy », diagnostique le jour même Gilles Boyer devant moi. On ne demande qu'à le croire.

Au nez et à la barbichette
de Juppé !

« Je te tiens, tu me tiens par la barbichette, le premier de nous deux qui rira aura une tapette... », dit la comptine. Nicolas Sarkozy et Alain Juppé ont, pour leur usage commun, changé les règles de l'in nocent jeu de la barbichette. Le perdant n'est pas celui qui rira, mais celui qui criera le premier. Ils n'ont jamais cessé d'y jouer, même au temps de leur plus belle entente, entre 2010 et 2012, quand Juppé avait accepté de revenir au gouvernement pour sauver son meilleur ennemi. Tout le monde l'a oublié, mais Sarkozy mit au supplice son « ami Alain » à peine quinze jours après l'arrivée triomphale de ce dernier au Quai d'Orsay en février 2011. Le chef de l'État n'allait tout de même pas laisser plus longtemps Juppé se prendre pour le vice-Premier ministre et le sauveur de la diplomatie française, ainsi que le glorifiaient les médias. Pour remettre à leur place les ministres des Affaires étrangères, Bernard-Henri Lévy n'avait pas son pareil.

Le 10 mars 2011, Juppé eut le plus grand mal à déglutir. Quelques caméras immortalisèrent les crispations éloquentes de son visage, à Bruxelles, au sortir de sa réunion avec ses homologues européens, quand il découvrit, *via* une dépêche d'agence, que les émissaires libyens reçus le jour même par Sarkozy – en compagnie de BHL… – avaient été autorisés à déclarer sur le perron de l'Élysée que la France reconnaissait la légitimité du Conseil libyen de transition. Au nez et à la barbichette de Juppé ! « L'annonce devait être faite par Sarkozy le lendemain à Bruxelles. Au lieu de quoi cet olibrius de Bernard-Henri Lévy a poussé les émissaires à s'exprimer sur le perron », s'étrangla Juppé.

Les commentateurs ont écrit que ce vice de forme avait provoqué l'agacement du ministre. Faux. Ce furent des hoquets de fureur. La fureur de se retrouver court-circuité et ridiculisé par BHL, « ce faiseur qui a quelques obsessions, mais aucune vision politique et qui n'a jamais fait que récupérer les affaires strictement médiatiques », selon les mots furibards de Juppé, qui avait déjà eu maille à partir avec l'intellectuel, jadis, sur l'affaire bosniaque. Sarkozy n'aurait pu choisir meilleur instrument que le piquant BHL pour blesser Juppé. Le numéro deux du gouvernement soupçonna à raison le président d'avoir pris un « malin plaisir » à laisser l'arête BHL se planter « en travers de (s)a gorge ».

Pire qu'un affront : une humiliation qui arriva au moment même où Juppé se sentait pousser des ailes. Il eût été si facile pour Sarkozy de passer un coup de fil à son ministre. Ce n'est pas comme s'il ne l'appelait pas plusieurs fois par jour pour un oui ou pour un non. Mais là, rien. L'occasion était trop belle pour le président de rabattre son caquet au super-héros du moment. Et il cibla là où ça faisait mal. Car ce qui avait conduit Juppé à refuser le Quai d'Orsay, en août, septembre et octobre 2010, c'était précisément la crainte de la diplomatie parallèle. Fin février 2011, il avait jugé que son poids politique le protégeait de ce risque. Sarkozy lui offrit un démenti cuisant. Mais attention, la réplique de Juppé ne fut pas moins cinglante : « C'est la première et la dernière fois, Nicolas. Si un autre incident de ce genre se produit, je m'en vais ! »

Juppé jura qu'il n'avait pas eu besoin de hausser le ton pour se faire comprendre de Sarkozy. Au petit jeu de la barbichette, il faut une terrible maîtrise de soi pour ne pas perdre la partie.

Ils n'en ont ni l'un ni l'autre.

Quand, à la fin août 2010, après que Sarkozy lui proposa le Quai d'Orsay lors d'un déjeuner en tête-à-tête et que Juppé lui fit valoir ses réserves, le chef de l'État jura, devant ses proches, que Juppé se « faisait des films » : « On n'a pas vu de manifestation pour l'entrée de Juppé au gouvernement ! » Même procédé deux semaines plus tôt : apprenant que les forces de l'ordre étaient aux prises avec une communauté de gens du voyage qui tentait de s'installer à Bordeaux, Sarkozy appela Juppé pour s'enquérir de la situation, trop content de pouvoir proposer son aide à celui qui, quelques jours auparavant, stigmatisait sur son blog la « priorité sécuritaire » et ses « exagérations, peu compatibles avec nos valeurs fondamentales ». Raconté par Sarkozy à ses proches, cela donnait : « Alain joue les parangons de vertu antisécuritaire, mais quand il a un problème chez lui, il m'appelle au secours ! Tu parles d'une cohérence ! » Outré, Juppé s'égosillait : « C'est Sarko qui m'a téléphoné ! Il déforme tout, il instrumentalise tout ! »

Il devrait pourtant être habitué. Sarkozy ne lui a-t-il pas fait le « coup de la Cour des comptes » ? L'évocation suffit à mettre Juppé hors de lui. Le 13 janvier 2010, Nicolas Sarkozy lui téléphona pour lui proposer la présidence de la Cour des comptes. Juppé demanda un délai de réflexion, puis appela le chef de l'État, le 18 janvier, alors que celui-ci se trouvait à Mayotte, pour décliner. Avec un argument : « Je n'ai pas renoncé à faire de la politique. » Le lendemain, 19 janvier, il annonça dans *Les Échos* avoir repoussé l'offre présidentielle de succéder à Philippe Séguin. Ni une ni deux : en guise de représailles, Sarkozy fit tout bonnement passer l'ancien Premier ministre pour un… affabulateur. « Je n'ai jamais proposé la Cour des comptes à Juppé ! Où est-il allé chercher ça ? » jura-t-il devant Xavier Bertrand et les autres dirigeants de l'UMP, lors d'une réunion de l'état-major du parti. Quand je le priai de m'expliquer cette affaire, Juppé éructa : « Il ment, qu'est-ce que vous voulez que je vous dise ? »

De son côté, Sarkozy aussi enrageait. Le président espérait avoir enfin trouvé une façon prestigieuse de ranger son rival au cimetière des éléphants, et ce dernier se payait le luxe et de lui dire non et de le faire savoir. Sarkozy comprenait qu'il n'en avait pas fini avec « Alain ». Lequel me le confirmait : « Je ne veux pas être astreint au devoir de réserve. C'est une mise à la retraite prématurée. C'était bien tenté de sa part, mais non ! »

Entre eux, le petit jeu n'a jamais vraiment cessé. Sarkozy n'a d'ailleurs pas toujours été le plus provocateur des deux. Avant de revenir au gouvernement en 2010, tandis qu'il était réfugié sur ses terres bordelaises, Juppé a eu l'art – et la manière… – de se rappeler aux bons souvenirs du chef de l'État.

En février 2009, il signa une tribune dans *Le Monde* pour contester la politique de défense de Sarkozy : « La France a-t-elle intérêt à réintégrer en

2009 le commandement militaire de l'OTAN qu'elle a quittée en 1966 ? » Ce qui lui valut, en réponse, une lettre de trois pages du président. Huit mois plus tard, en octobre 2009, il profita d'un entretien dans *Sud-Ouest* pour pester contre la réforme de la taxe professionnelle. Dans des termes fort peu amènes : « C'est tout de même se foutre du monde. » Ulcéré, Sarkozy l'appela depuis sa voiture : « Qu'est-ce qui te prend ? Qu'est-ce que c'est que cette mauvaise manière ? » « Il gueulait », rapporta Juppé, pas mécontent. Content, même, de ne pas laisser Sarkozy indifférent. Ça le maintenait en vie. « Sarkozy ne s'en fiche pas, de ce que je fais ou dis, se gargarisait-il alors. Quand je critique, il réagit. » C'est la seule chose qui comptait, pour cet homme qui, prisonnier de sa bonne ville de Bordeaux, n'en finissait pas de se languir d'autre chose. Quelqu'un n'était pas dupe de ces accès de rébellion : Sarkozy. « Juppé se fait ch…, décodait le chef de l'État en petit comité. Je pensais que la commission sur le Grand Emprunt l'occuperait assez, je me suis trompé. Si je ne lui trouve pas une occupation, il va m'emmerder ! Et ce con s'est fait réélire maire de Bordeaux en jurant aux Bordelais qu'il ne serait plus ministre ! Qu'est-ce que je peux faire de lui ? »

Et même quand il revint au gouvernement, entre 2010 et 2012, il ne manqua pas une occasion de rappeler qu'il ne serait jamais un rallié tout à fait comme les autres. Il ne voulait pas être pris pour un vassal. Pas une fois Juppé n'a dit du bien de Sarkozy sans assortir ses compliments – toujours mesurés – d'une phrase irrépressible du type de celle lâchée à Sud-Ouest, le 11 juillet 2011 : « Je vais vous faire une confidence : je suis surpris par la qualité de notre relation de travail. (...) Ça se passe très bien, et c'est plutôt une surprise pour moi ! » Quel autre ministre aurait osé formuler les choses ainsi ?

Il se sentait mieux, après ce type d'exorcisme purement déclaratoire. Il se donnait l'illusion de ne pas être sous le joug de Sarkozy, de garder son quant-à-soi. C'est comme l'insistance qu'il mit, entre novembre 2010 et juillet 2011, à assurer à longueur d'interview : « Si, pour des raisons qui aujourd'hui sont hautement improbables et que je ne souhaite pas, Nicolas Sarkozy n'était pas en mesure de se présenter, eh bien je tenterais ma chance. » Ça faisait bondir Sarkozy. Ça donnait à Juppé le sentiment de ne pas s'être complètement renié... Une façon comme une autre de canaliser la bile... Car elle n'en finira jamais de remonter.

Il avait besoin, Juppé, de ne permettre à personne d'oublier qu'en dépit de sa nouvelle bonne entente avec Sarkozy il n'était pas inféodé. Il ne se gênait pas pour contredire le président. Et ce dernier l'écoutait. « Ce qui est très déconcertant, c'est qu'il me dit souvent : "Tu as raison" », me racontait alors le ministre des Affaires étrangères, qui s'offrait le luxe de ne pas répondre sur-le-champ à Sarkozy quand ce dernier lui téléphonait pour solliciter ses avis, ce qui arrivait quasiment chaque jour, parfois plusieurs fois. Juppé les lui prodiguait volontiers, mais certainement pas toutes affaires cessantes. Il se plaisait à le faire lanterner. À se déclarer indisponible quand le président lui proposait de l'accompagner dans un voyage officiel. « Je fais peu de déplacements avec Sarkozy. Ce n'est pas très valorisant. Je préfère voyager seul », assuma-t-il dans l'avion qui le conduisait en Haïti, le 13 mai 2011.

Quel délice, d'être le recours, autonome et indocile, d'un ennemi dans le besoin qu'il refusait d'embrasser ! « Très bien, allez, à bientôt, au revoir » : c'est par ces mots qu'il mettait fin à ses nombreuses conversations téléphoniques avec le président. Ce sont ceux que je l'entendis prononcer, le 18 février 2011, avant de rendre le téléphone à son officier de sécurité et de se tourner vers moi. « Je ne vous dis pas la chance que j'ai, hein. Être embrassé par un président… » Il rit. D'un rire qui se moquait autant de Sarkozy que de lui-même. Quand on lui demanda pourquoi il n'avait pas dit « moi aussi » en réponse au « je t'embrasse » de Sarkozy, il asséna : « Moi, j'embrasse pas. » Petit silence. « Je suis un homme libre. » Il estimait avoir payé pour l'être.

Quand Sarkozy dansait
sur le cadavre de Juppé

« Il est fini ! Au tapis, le meilleur d'entre nous ! »
Nicolas Sarkozy prit ses proches à témoin de sa
propre « chance » (*sic*), le 30 janvier 2004, quand
le tribunal correctionnel de Nanterre rendit son
jugement dans l'affaire des emplois fictifs du RPR
et qu'Alain Juppé fut condamné à dix-huit mois
de prison avec sursis et dix ans d'inéligibilité. « La
chance fait partie du talent », répéta Sarkozy toute
la journée. Il ne se sentait plus de joie.

Quatre jours plus tard, le 3 février 2004, tandis
que Juppé se trouvait, à 20 heures, sur le plateau
de Patrick Poivre d'Arvor et qu'il annonçait devant
quatorze millions de téléspectateurs qu'il allait
rester à la tête de l'UMP le temps de « passer le
témoin », Sarkozy, lui, triomphait sous les ors d'un

salon coquet du Sénat : il était venu, la lèvre victorieuse, se voir décerner le prix de la personnalité politique de l'année 2003 par le jury du Trombinoscope. Il n'avait pas encore appris à masquer sa jubilation, comme il le fit des années après au moment de l'arrestation de Dominique Strauss-Kahn à New York. Non, ce soir-là, il dansait sur le cadavre, convaincu que Juppé était définitivement « carbonisé », comme il disait, sans même feindre la compassion, à la horde de journalistes qui l'entouraient.

La voie était dégagée. Sarkozy n'avait plus qu'à prendre la place. Il était pressé. Il n'avait pas envie de laisser à Juppé la maîtrise du calendrier de la transition. Pas envie d'attendre le congrès de l'UMP, fixé au mois de novembre 2004. Aussi, dès le 1er mars 2004, *Le Figaro* dévoila l'existence d'un accord entre Jean-Pierre Raffarin et Nicolas Sarkozy qui, dès le lendemain des régionales des 21 et 28 mars 2004, ferait du Premier ministre le successeur de Juppé à la présidence de l'UMP, le ministre de l'Intérieur devenant numéro deux du parti. Dans ce scénario, la tenue du congrès – à l'occasion duquel Sarkozy comptait bien se faire élire président du parti – serait avancée à juillet. C'était évidemment Sarkozy qui avait orchestré la « fuite » dans *Le Figaro*. Une manœuvre destinée à mettre la pression sur Juppé, en le poussant dehors plus tôt que prévu. Après cette première salve, *Le Figaro* en fit retentir une seconde dès le lendemain. Cette fois-ci, le quotidien fit carrément sa Une sur l'accord Raffarin-Sarkozy. Quand, ce jour-là, le mardi 2 mars, les dirigeants de la majorité se retrouvèrent autour de Raffarin à Matignon pour leur petit-déjeuner hebdomadaire, l'ambiance était de glace. Tous avaient lu *Le Figaro*, et Juppé y trouvait beaucoup à redire. Avant même l'arrivée de Raffarin, tandis que les participants attendaient le Premier ministre dans le salon attenant à la salle à manger, Juppé grommela des phrases furibardes : « Moi je suis réglo et on fait des plans dans mon dos… » Manifestement, il n'avait pas été associé aux réflexions de Chirac et Raffarin sur l'avenir du parti. Et il était horrifié d'avoir été tenu à l'écart de conciliabules entre les deux hommes.

Alerté de la fureur de Juppé, Raffarin démarra le petit-déjeuner par une « mise au point politique sur *Le Figaro* » aussi solennelle qu'improvisée. Assis en face de Juppé, il cherchait à désamorcer : « Je ne suis pas candidat à la présidence de l'UMP, sauf si le président Chirac le souhaite. Sarkozy fait une campagne d'intox. » Juppé était plus que pincé : « Si j'ai accepté de rester président de l'UMP, ce n'est pas par plaisir, mais pour une transition tranquille et statutaire ! Je ne ferai rien contre Sarko, s'il est élu à la tête du parti, très bien, affirma-t-il, mais c'est à toi – il regarde Raffarin – et au président de savoir dans quel dispositif vivre les deux années à venir ! La seule manière de faire baisser la pression, c'est de clarifier le calendrier de la succession. Ce sera octobre-novembre, pas avril. Si on me chatouille trop, je parle demain matin ! » Gros blanc autour de la table. Les convives se regardèrent. De la sueur perla sur le front de Raffarin, qui se sentait trop coupable – d'avoir ambitionné de devenir patron de l'UMP – pour ne pas décrypter ainsi la menace de Juppé : « J'ai accepté de porter le chapeau judiciaire, mais si maintenant vous complotez à mon insu, je vais à la télé et je raconte tout. » Le Poitevin s'affola : « Jamais le président n'a évoqué l'idée d'avancer le calendrier au mois d'avril ! jura-t-il à Juppé. La seule question, c'est juste avant ou juste après l'été... Au plus tôt juillet... » Ultime tentative de Raffarin d'assouplir le calendrier voulu par Juppé. Lequel se raidit plus encore. Raffarin comprit que, pour calmer Juppé, il devait charger Sarkozy. « Je suis ciblé moi-même, se dédouana-t-il. On veut mettre un coin entre le président et moi... » Alors seulement Juppé desserra les dents : « Je partage la perplexité de Jean-Pierre, nous sommes face à un réseau que nous ne contrôlons pas. » Comment se rabibocher utilement sur le dos de Sarkozy...

Sitôt sorti de Matignon, Juppé s'en alla à l'Élysée trouver Chirac et graver le calendrier dans le marbre. L'affaire était tranchée : Sarkozy devrait attendre le 28 novembre 2004 pour se faire triomphalement élire (85,09 % des voix) à la suite de Juppé à la tête du parti conçu par et pour le « meilleur d'entre nous ». Ce jour-là, Juppé serait à mille milles du parc des Expositions du Bourget où avait lieu le congrès. Il ne fallait pas « pousser le bouchon », comme il dit toujours, jusqu'à attendre de lui qu'il assistât au sacre de Sarkozy. Il n'entendit pas ce dernier déclarer à la tribune : « Je veux dire à Alain Juppé que nous lui devons beaucoup. Rien de ce qui se passe aujourd'hui n'aurait été possible sans lui. » Un hommage à double sens. Double fond. Double détente, aussi. Quand le coup fut tiré, Juppé était loin. Il avait très opportunément décidé de partir à Montréal avec sa femme Isabelle pour une visite préparatoire à leur exil. Mais Sarkozy les rattrapa à leur descente d'avion, par le truchement d'Hugues Martin, l'homme que Juppé avait choisi pour le remplacer dans ses mandats de maire et de député. Le premier tour de l'élection législative venait de se tenir. C'est dans l'entre-deux-tours que les Juppé prirent l'avion pour Montréal et que Martin appela Isabelle. Il raccrochait d'avec Chirac : « Alors, Hugues, cette campagne, c'est très dur. Tu as fait un très bon

61

résultat, mais pour être sûr qu'il ne te manquera pas de voix, je vais t'envoyer Sarko », lui avait proposé le chef de l'État.

Martin : « Je ne peux pas faire ça à Alain. Ce serait une ignominie vis-à-vis de lui... »

Chirac : « Je vais te dédouaner. Je vais appeler Juppé et s'il est d'accord... »

Martin : « S'il est d'accord, ça change tout... »

Martin parvint à joindre Isabelle à sa descente d'avion et osa lui poser la question. Il n'aura jamais de réponse. « Ils ont coupé le portable », affirmat-il. Chirac ne parviendra pas à contacter Juppé. Une fin de non-recevoir qui signifiait : ça, vous n'avez pas le droit de me le demander.

Entre Sarkozy et Juppé, ce fut bien plus, bien pire, qu'une bonne vieille rivalité comme le monde politique en a hébergé des milliers. Entre eux, ce fut mortel. Quand Juppé partit ruminer son amertume au Québec et que la classe politique entonna d'une seule voix l'éloge funèbre du mort-vivant politique, il est un homme qui se montra incapable de prononcer un mot aimable : Nicolas Sarkozy. Les douze plus grands patrons de France qu'il reçut le 9 janvier 2006 se souviennent encore de la hargne qu'il ne put masquer quand il évoqua le cas Juppé. « Il avait, rapporte un participant, comme un goût de meurtre sur les lèvres. » Troublante expression. Un goût de meurtre. Preuve, s'il était besoin, que Sarkozy considérait que le meurtre (politique) de Juppé était encore à perpétrer, et qu'il allait s'en charger. La justice n'avait fait que le laisser pour mort. Le meurtre restait à commettre.

Encore fallait-il attirer sa proie. Ce que Sarkozy fit maintes fois, à l'époque. « Alain, jouons ensemble, exhortait-il l'exilé de Montréal. Tu sais bien que Chirac est fini, il faut passer à la suite. La suite, c'est toi et moi. Moi numéro un, toi numéro deux. » Le même discours qu'il tenait quinze ans auparavant, sauf que l'ordre de préséance s'était inversé… Juppé ne répondait rien.

Quand Juppé revint en France et qu'il se fit réélire maire de Bordeaux, Sarkozy, sans cesser de médire en privé contre cet « autiste », intensifia les efforts engagés depuis de longs mois déjà pour engranger le ralliement à sa personne du meilleur d'entre les chiraquiens. Le presque candidat Sarkozy, qui avait prévu une réunion publique à Périgueux – encore ! – le 12 octobre 2006, téléphona à Juppé quelques jours avant.

« Que comptes-tu faire ? l'interrogea-t-il.

– Je ne viendrai pas.

– Alain, je ne te demande rien, mais je vois que tu ne me donnes rien. »

Cette époque où
« Alain ressemblait à un fruit sec »

« Si je soutiens Sarko, ce ne sera pas avec le cœur, mais à la suite d'un calcul », m'exposait Alain Juppé en novembre 2006. Il était pris en étau entre la pression de Sarkozy et celle de Chirac, qui le conjurait d'attendre le tout dernier moment pour rendre les armes. Surtout, ne se faire instrumentaliser ni par l'un ni par l'autre. « Il y a deux solutions, analysait-il. Ou bien on essaye de le faire battre en se disant qu'après il y aura 2012. C'est un calcul de gribouille, je ne jouerai pas cette politique-là, qui est la politique du pire. Ou bien on essaye de l'aider à gagner. J'ai bien défini ma stratégie : je le soutiendrai, et si ça devait mal se passer pour lui, je serais davantage en position de force si j'ai été clair et loyal que si j'ai balancé des peaux de banane. »

Il n'en finissait pas de justifier son légitimisme, son loyalisme : « Je ne fais pas ça pour qu'il soit content de moi. Je fais ça pour gagner. Je n'ai pas envie que Ségolène Royal soit présidente de la République parce que je pense que ce ne serait pas bon pour mon pays. Alors, qu'est-ce qu'il y a comme offre valable en face ? On a la réponse. Je l'ai dit à Chirac à plusieurs reprises : on a créé une situation où il n'y a pas d'alternative. Il n'y a pas d'autre candidat en situation de gagner. On ne va pas investir Michèle Alliot-Marie, hein ? Le président Chirac, sauf si la Corée du Nord bombarde le Japon et si l'Iran envahit Israël, ne suscite pas beaucoup d'attente. Villepin n'a aucun soutien, il s'est complètement coupé des groupes parlementaires, il n'a pas le parti. Alors évoquer les campagnes napoléoniennes, c'est bien, mais je ne suis pas sûr que ça corresponde vraiment à la vie politique contemporaine. Donc, le seul qui soit aujourd'hui en mesure de porter les couleurs, c'est Sarko. » Juppé avait beau peaufiner sa démonstration, il retardait le passage à l'acte – de soutien public. Il voulait réserver cette annonce au congrès d'investiture du 14 janvier. Sarkozy la lui arracha avant, le 21 décembre 2006, à l'occasion d'un forum à Bordeaux. Une scène de (mauvais) film. Puissance invitante, Juppé fut accueilli, et écouté, dans un silence quasi religieux. Il ne fit d'ailleurs pas un discours, mais un prêche. Il dispensa des conseils et abusa des impératifs. « Ayez confiance dans la mondialisation. » « Ayez confiance dans la France. » « Soyez les militants de la terre. » « Acceptez la diversité de la France. » « Respectez-vous les uns les autres. » « Ne renoncez pas au rêve européen. » Autant d'apostrophes concentrées dans une allocution de dix minutes. Sans compter l'œillade décochée à Sarkozy. « Certes, des changements profonds et parfois même des ruptures sont nécessaires », déclara Juppé. « Rupture. » Le maître mot sarkozien, ce concept que Juppé – et Chirac, bien évidemment – avait toujours récusé. Le lendemain, les médias titraient sur le ralliement. Et Juppé se plaignit de la « récupération faite par Nicolas, tellement impatient que je me range derrière lui ». Le maire de Bordeaux voulait croire que ce serait perçu comme une amabilité de bon augure, pas davantage. « J'ai fait une erreur en employant ce mot. »

C'est le risque, quand on veut se rallier sans se rallier tout en se ralliant. On fait tout mal. « Alain paraissait petit, plus petit qu'avant, commenta l'un des élus présents. Aucune ampleur dans la posture, pas davantage dans les gestes. Alors qu'en 1995-1996, quand il défendait ses réformes, il avait beau être impopulaire, il ne manquait pas d'envergure. » Parvenir à une telle soustraction de lui-même, c'est du grand art... Lorsque ce fut au tour de Sarkozy de prendre la parole, Juppé applaudit quand il fallait, sourit benoîtement lorsque Sarkozy lui passa la brosse à reluire. Le sourire de l'infériorité.

Moins d'un mois plus tard, le 14 janvier 2007, à la tribune du congrès d'investiture de Nicolas Sarkozy, Fillon loua l'« élégance » et le « désintéressement » de Juppé, son « sens du devoir et de la responsabilité ». « Moi qui n'avais jamais été ému par Juppé, je l'ai trouvé émouvant, ce jour-là, me raconta Frédéric Lefebvre, alors émissaire politique de Sarkozy. On a compris que c'était très dur pour lui. Ça lui faisait mal, mais il l'a fait à fond. Je l'ai vu regarder Nicolas se diriger vers le pupitre, on voyait sa souffrance. Et la souffrance, c'est respectable. »

« C'est vrai que pour moi, ce n'était pas facile... », conviendra Juppé quelques semaines plus tard. La campagne stricto sensu ne fut pas davantage une partie de plaisir. Il y fit de la figuration, comme ce 1er février 2007, à Berlin, où il accompagnait le candidat Sarkozy. « Il était porteur de documents. Tout terne, tout gris, constatait alors Michel Mercier, devenu collègue de Juppé au gouvernement. Alain ressemblait à un fruit sec, un homme largement cassé. Il était devenu banal. »

Et c'est cet homme-là qui accepta de devenir ministre de Sarkozy. « Alain considère que Nicolas est fou. Si Nicolas est élu, il n'acceptera pas de rentrer au gouvernement, ce n'est pas possible », affirmait Jean-Jacques de Peretti pendant la campagne de 2007. C'était sous-estimer l'envie de reprendre du service d'un homme qui avait quitté le gouvernement en 1997, c'est-à-dire dix ans plus tôt. Sa femme Isabelle, surtout, était plus que rétive. Le soir du second tour, Alain Minc, qui les croisa rue d'Enghien, au QG de campagne, apostropha l'ancienne journaliste : « Tu n'as pas épousé un retraité, quand même ! » L'intellectuel pressait Juppé d'accepter de rentrer dans un gouvernement Fillon et de renoncer à l'idée de briguer la présidence de l'Assemblée nationale. Car c'était ce poste que guignait Juppé. Pour en avoir odieusement souffert, il avait encore en mémoire la part du lion que s'était taillée Philippe Séguin en se faisant élire au « perchoir », en 1995, quand lui-même, Juppé, était à Matignon. Il n'avait rien oublié des infernales marges de manœuvre dont son ennemi de l'intérieur avait pu jouir à ce poste. Sarkozy aussi s'en souvenait... Et c'était une raison de plus pour empêcher Juppé de conquérir une telle position de force autonome.

Sarkozy s'entêta à lui proposer un ministère, encore et encore. Le ministère des Affaires étrangères, tout d'abord. Pour un président obsédé par l'ouverture, Juppé représentait une proie décisive. Pensez : il incarnait l'ouverture à l'ennemi. Garde tes amis près de toi et tes ennemis encore plus près. À ce moment-là, en effet, Édouard Balladur, qui suspectait Juppé de « jouer le coup d'après », c'est-à-dire 2012, mettait en garde Sarkozy contre un homme « dangereux » qu'il fallait « de toute force » faire rentrer dans son jeu.

Sarkozy n'eut guère besoin de force, à la vérité. Juppé n'était pas hostile à l'idée de retourner au Quai d'Orsay – il y avait passé les plus belles années de sa vie politique… « J'étais très tenté, mais je ne voulais pas porter le cartable de Nicolas… » Pendant ce temps naquit, dans l'esprit de Sarkozy, l'hypothèse Bernard Kouchner. Juppé et Sarkozy se rejoignirent alors sur la « création d'un truc nouveau », selon Juppé. Un « truc » taillé sur mesure. À sa mesure. Le ministère de l'Environnement, de l'Écologie et du Développement durable, qu'avec son sens aigu de la communication Juppé rebaptisera aussitôt « Medad ». « Deux ministères et demi », précisait Juppé avec fierté, à la veille de sa nomination.

L'aventure, on l'a vu, s'arrêta un mois plus tard. Maudit « Medad ». Est-ce un hasard si cette règle sur la démission forcée de tout membre du gouvernement défait aux législatives de 2007 fut énoncée alors que Juppé était candidat et que Sarkozy savait son élection malaisée ? Dans son malheur, Juppé se posa toutes les questions. Une fois encore, la faux s'était abattue. Fut-elle actionnée par le seul (mauvais) sort ou bien également par la main (discrète) de Nicolas Sarkozy ? Comme chaque fois que sa vie politique connut un coup d'arrêt brutal, Juppé était convaincu que Sarkozy y était pour quelque chose.

Si Sarkozy a trahi Chirac,
c'est à cause de... Juppé !

Le plat de la main qui vient frapper la main opposée serrée en poing. Et qui appuie furieusement, et qui écrase. Ce geste, vulgaire s'il en est, Nicolas Sarkozy le fit tant de fois devant ses visiteurs, en 2007, en 2008, et encore en 2009, quand il parlait d'Alain Juppé. « Niqué, je l'ai niqué », sous-titrait souvent le président de la République, rictus aux lèvres, devant des interlocuteurs ahuris par cette détestation jubilatoire. Pas de pitié pour Juppé ! Pourquoi Sarkozy s'acharnait-il ? Juppé était à terre. Chacun jetait sa pelletée de respect sur le cercueil. Respect. Le mot qui tue. Qui enterre. « Juppé s'impose en sage avec le respect qu'on lui doit », affirmait à l'époque le jeune ministre Laurent Wauquiez. Un enterrement de première classe qui blessait Juppé jusqu'à la moelle. « Depuis ma démission, tout le monde m'aime, constatait-il alors amèrement. Quand je serai mort, ce sera le déchaînement. » Rire jaune. Quand il n'était plus rien, tous en parlaient avec révérence. Tous sauf un : Nicolas Sarkozy. L'écume qui venait aux lèvres du président dès lors qu'était en sa présence prononcé le nom de Juppé aurait dû rassurer ce dernier : tant qu'on inspire encore de la haine, on n'est pas tout à fait mort.

Dominique de Villepin a eu beau se démener talentueusement pour tenter de remplacer Juppé dans toutes ses attributions, statutaires et politiques : au Quai d'Orsay, dans l'affection de Chirac mais aussi dans l'hostilité de Sarkozy, il n'a jamais réussi à être, aux yeux de Sarkozy, un concurrent aussi sérieux.

Villepin le complexait, le fascinait, l'insupportait, le faisait enrager, mais jamais Sarkozy n'a considéré « le poète » comme un homme politique. Juppé, si. Parce que Jacques Chirac le regardait comme tel. Chirac. L'ancien président est la clé de voûte de la relation passionnelle qui s'est nouée entre Sarkozy et Juppé. C'était à celui qui serait *in fine* intronisé fils du grand Jacques. Au départ, ce combat-là opposait Alain Juppé à Philippe Séguin. Le jeune Sarkozy – dix ans de moins que Juppé – est venu troubler ce tête-à-tête. Il s'est immiscé jusque dans

74

le noyau familial du maire de Paris. Claude Chirac l'adorait, Bernadette n'en disait que du bien. Il avait su se rendre indispensable à ces dames, mais également à Jacques Chirac. S'il a décidé de soutenir Édouard Balladur, s'il s'est rendu coupable de cette « traîtrise » que Chirac ne lui pardonnera jamais, c'est, expliquera-t-il à ses proches, parce qu'il avait compris qu'il ne parviendrait pas à supplanter… Juppé ! Il a choisi Balladur à la fin de novembre 1993, soit moins de trois mois après que Chirac a profité des universités d'été du RPR pour déclarer que Juppé était « probablement le meilleur d'entre nous ». Le député-maire de Neuilly n'avait pas besoin d'en entendre davantage : Chirac lui préférerait toujours « ce grand pin sec et dégarni des Landes » – Sarkozy dixit – sorti des plus belles écoles de la République, qui était tout ce qu'il ne serait jamais, lui Sarkozy, qui d'ailleurs n'en finissait pas de le lui signifier en le prenant de haut, et qui ne respectait pas sa part du contrat quand on lui rendait service.

Car Sarkozy avait tenté de faire alliance avec lui, quelques années plus tôt, avant les assises du RPR de février 1990 : il avait offert son soutien à Juppé, menacé par Pasqua et Séguin, en échange de son engagement à le nommer numéro deux du parti, une fois la bataille gagnée. Juppé se contenta d'en faire un secrétaire général adjoint parmi une demi-douzaine d'autres ! Le député-maire de Neuilly se le tint pour dit : non seulement Juppé n'était pas fiable, mais en plus il ne le considérait pas digne d'être son second. Bref, impossible de « dealer avec lui », selon les termes de Sarkozy. Et c'est ce « type intraitable » – toujours au dire de Sarkozy – que, près de quatre ans plus tard, en septembre 1993, Chirac a publiquement intronisé comme son dauphin. Aux yeux de Sarkozy, la voie est donc doublement obstruée. Quinze ans d'efforts dévoués auprès de Chirac, et tout ça pour quoi ? Pour que Juppé soit conforté dans sa place de favori. Sarkozy dut se rendre à l'évidence – désespérante : nul, pas même lui, ne pourrait l'en déloger. Il n'y avait plus rien à faire pour éliminer Juppé. À part trahir Chirac.

Villepin, l'homme qui tenta de remplacer Juppé dans la tête de Sarkozy

« Je ne suis pas Juppé, moi ! On ne m'achète pas avec un maroquin ! » En ce matin froid de février 2011, Dominique de Villepin me trompetait sa différence. Et son dédain. À l'en croire, il ne saurait y avoir pire reniement de soi, de ses haines, de ses rêves que d'accepter, quand on s'appelle Alain Juppé, de réintégrer la termitière gouvernementale, sous la présidence de son rival de toujours, Nicolas Sarkozy, après y être une fois déjà revenu, en mai 2007, et en avoir été chassé comme un malpropre un mois plus tard !

Mais attention, Juppé occupe une place à part dans le panthéon de ceux, si nombreux, que Villepin couvre de son mépris. Il faut remonter à l'époque où le diplomate admirait ce ministre des Affaires étrangères dont il fut le directeur de cabinet, entre 1993 et 1995. Le premier collaborateur, donc. Un tandem étincelant. « C'est vrai qu'il m'a alors beaucoup aidé », n'a jamais cessé de reconnaître Juppé. Mais l'inverse est également vrai : c'est à ce poste et à la faveur des déplacements incessants de son ministre que Villepin établit un lien quotidien avec Jacques Chirac, alors reclus dans sa mairie de Paris. En 1995, il a si bien su se rendre indispensable à Chirac que ce dernier lui offre le poste de secrétaire général de l'Élysée, alors même que Juppé, nommé Premier ministre, lui proposait de continuer d'être son directeur de cabinet.

Depuis l'Élysée, Villepin observe Juppé, qui le déçoit. Parce qu'il accepte d'être « surprotégé par Chirac », au dire de Villepin, qui raconte : « Vingt fois par jour, le président me téléphonait pour s'inquiéter d'Alain. » Celui-ci peine à s'affranchir de la tutelle de Chirac. Toujours il évite de prendre le risque d'une confrontation avec lui. « Alain a d'emblée été frustré parce qu'il attendait de Chirac ce qu'il ne pouvait pas lui donner. Et en même temps il n'a jamais su rompre », estime Villepin, qui pourfend l'« immaturité affective et politique » d'un Juppé comme « paralysé par le respect filial qu'il a pour Chirac ». Villepin commence alors d'éprouver à l'endroit de son ancien patron un sentiment de supériorité qui ne le quittera plus. Il peste contre son « incapacité à s'autonomiser vis-à-vis de Chirac », contre son « manque de courage », contre sa « peur de tout », contre « sa façon de s'attarder sur lui-même et sur ses souffrances », contre sa « propension à se laisser envahir et entraver par la rancœur ». Juppé ne lui apparaît plus que comme un homme coupable de n'avoir pas su être à la hauteur de lui-même. Et il enrageait, Villepin, de constater que, en dépit des faiblesses plus que criantes de Juppé, pas un instant Chirac n'a songé à remplacer son « cher Alain » par un autre. Villepin assure que c'est précisément parce que Chirac ne voulait pas entendre parler d'un changement de Premier ministre qu'il a, en 1997, inventé la dissolution, seule solution permettant de résoudre cette impossible équation imposée par Chirac : redonner un élan en gardant Juppé.

Cette dissolution ratée achève de convaincre Villepin que Juppé est passé à côté de l'Histoire, la sienne et celle de la France, et que la place est à prendre. Il est plus que volontaire. Et il saura faire, croit-il. Parce qu'il a un contre-modèle : Juppé !

À partir de 2002, l'espace politique libéré par la mise en examen puis la condamnation de Juppé dans l'affaire des emplois fictifs du RPR ne profite pas qu'à Sarkozy. Villepin aussi s'y engouffre, fin prêt à jouer le rôle de Juppé dans la confrontation programmée pour la succession de Chirac.

Ce devait être Juppé-Sarkozy ; ce sera Villepin-Sarkozy.

Juppé a mis un certain temps à se rendre compte que Villepin marchait sur ses traces, ou plutôt cavalait sur ses brisées. Voleur de destin. Il a fallu attendre le 31 mai 2005 – jour où Chirac nomme Villepin à Matignon contre sa volonté à lui, Juppé –, pour que ses yeux se dessillent enfin. Quelques mois plus tard, en novembre 2005, Juppé aura, depuis son exil québécois, ces mots amers : « Dominique pense que c'est son tour. Que je suis mort. »

Il a en tout cas considéré qu'il l'avait avantageusement remplacé. « Pour qui se prend-il ? réagira Juppé. Pour mon rival ? Si je voulais faire les trois ou quatre phrases qui assassinent Villepin, je pourrais. Mais il n'est ni assez important ni assez dangereux pour que je le fasse. » Non mais ! Il le fit quand même : « L'analyse de Chirac est très claire, aujourd'hui. "Sarko est incontournable mais il peut se casser la gueule, et s'il se casse la gueule, il n'y en a qu'un, c'est vous", m'a-t-il dit. Je l'ai répété à Villepin, il s'en est étranglé !

– Vous vous êtes vengé !

– Exactement. Je ne le nie pas ! Je me suis demandé si je devais le lui dire. J'ai tranché en considérant que je n'avais rien à perdre. S'il va se plaindre auprès de Chirac, ça m'est égal... » Juppé ponctua cette affirmation d'une mimique fiérote qu'on ne lui connaissait pas. « Vous voyez, je reste le fils préféré de Chirac », conclut-il en riant.

C'était avant que Chirac en donne depuis la Corrèze une confirmation publique, le samedi 11 juin 2011 : « Je voterai pour Hollande... sauf si Juppé se présente. » Non seulement ce n'est pas de « l'humour corrézien » – contrairement au communiqué rédigé par Bernadette, Claude et Frédéric Salat-Baroux sous la pression indignée de Nicolas Sarkozy –, mais c'est la dernière fois que Chirac a été en état de dire publiquement ce qu'il pensait. Les efforts déployés par Villepin depuis quinze ans n'y avaient rien fait, Juppé était resté le premier choix.

Maintenant qu'il a compris tout ça, Juppé soupire. « Dominique est fou », tranche-t-il. Une façon de le disqualifier. Et de l'envier, aussi. « Villepin, il monte sur le pont d'Arcole au moins une fois par semaine. Je ne suis pas assez fou, moi, contrairement à lui ! »

S'ennuyer avec Juppé

« Je le trouve très ennuyeux, Juppé », me déclare Manuel Valls deux mois avant le premier tour de cette primaire dont le maire de Bordeaux continue d'être le favori, malgré la remontée de Nicolas Sarkozy. « Très ennuyeux. » Il a l'air sincère, notre Premier ministre. Et d'ajouter : « Il y a chez lui quelque chose qui ne va pas. » Pas assez vite, pas assez loin, pas assez fort aux yeux d'un Valls ? Mais n'est-ce pas précisément ce que les Français aiment en Juppé ?

Et si notre époque avait envie d'ennui ? De s'ennuyer. Oh, j'entends déjà les commentaires, les décortiqueurs de tendances s'inscriront en faux et en archi-faux, expliqueront que c'est précisément le contraire, que seule la surenchère, l'outrance, la « Trumpisation » font mouche – et vendre, et voter, et et et. C'est vrai. Et c'est totalement faux. Nous voulons le pire et son contraire. Le meilleur et son inverse. Le poison excitant de la transgression et son antidote, la raison raisonnable. Dit autrement, l'époque a besoin, dans le même temps, de la plus folle des extraversions et de la plus sage des rationalités.

Juppé est un antidote. Lui qui, du temps de son purgatoire, se laissait parfois aller à plaisanter, non sans amertume, en rêvant au jour où « la France entière viendrait se prosterner place Pey-Berland[1] pour [lui] demander de venir les sauver ». En un sens, ce jour est arrivé. La cohorte des transgressifs est tellement grandissante et cliquetante que, pour la contrer, pour rétablir un (semblant d') équilibre, les Français se tournent vers le digne Juppé. Le désir de l'antidote est à la mesure de la puissance du poison. Jamais il n'a été aussi fort. On en rêve, de celui qui nous débarrassera des grands-guignols et des grand-guignoleries de la politique – qui néanmoins nous fascinent. Et le tenant du rôle de répulsif anti-guignols, c'est évidemment Juppé. François Fillon a bien tenté de se pousser du col – qu'il a fort élégant et fort lisse. En vain. Monsieur Raisonnable, c'est Juppé. Les Français aiment les gens qui ont payé pour être ce qu'ils sont. Aux yeux des Français, Juppé a conquis le droit d'être le meilleur d'entre les raisonnables.

---

1. À Bordeaux, devant sa belle mairie.

Ce qui aboutit à ce paradoxe passionnant : Juppé est devenu un objet de fantasme. Il fallait le faire. Fantasmer sur Juppé, c'est fantasmer sur une « tête d'épingle », selon les mots odieux de Marie-France Garaud, qui avait naguère tenté de me décourager : « Écrire un livre sur Juppé ! Quelle barbe ! C'est comme si vous me disiez : décrivez une tête d'épingle en deux cents pages. » Connue pour sa condescendance vacharde, Garaud s'était surpassée, ce jour-là. L'ancienne conseillère de Jacques Chirac a toujours haï Juppé. Mais ce serait trop facile de ne voir là que les divagations d'une vieille femme jalouse de la préférence que Chirac accordait à « (s)on petit Alain ».

D'abord parce qu'il faudrait être de mauvaise foi pour nier que Juppé a quelque chose d'une tête d'épingle, avec sa propension à piquer au sang. Mais aussi parce que Garaud est loin d'être la seule à avoir tenté de me dissuader, quand, en 2004, je me suis lancée dans l'écriture d'un livre sur Juppé.

C'est ce grand éditeur parisien qui ne désespérait pas de me ramener vers des projets « plus sexy, plus accrocheurs ». Il s'affligeait, le brave homme, il s'alarmait devant mon entêtement : « Aucune des biographies qui lui ont été consacrées ne s'est bien vendue ! Les livres d'entretiens avec lui ont été des bides ! Pourquoi perdre votre temps à raconter une histoire que la France n'a pas envie d'entendre ? » Celle d'un fils de la République qui s'est élevé par le travail et les coups de parapluie de sa mère, avant de chuter par arrogance, puis de revenir par miracle. Auparavant, m'assurait-il, la France s'aimait à travers ses premiers de la classe. Elle avait le culte de la méritocratie, des lettres et des lettrés, de l'intelligence et des intelligents. Aujourd'hui, ce serait fini. Aux orties, les messieurs pondérés et pudiques. Il faudrait du sang neuf, du sang fou, du souffle, du soufre, si possible tout ensemble.

C'est cet intellectuel ami de Nicolas Sarkozy qui me certifiait qu'« il ne saurait y avoir de légende à écrire sur un homme qui n'a pas eu, comme Nicolas, l'habileté et la créativité de l'inventer lui-même ». Le roman vrai de Juppé ? Une chimère ennuyeuse !

C'est ce ministre pourtant chiraquien, qui me mit en garde : « Votre livre va être aussi triste que votre sujet ! Juppé est perclus de frustrations. Si encore il était émouvant ! Mais comment un homme sans pitié pourrait-il en inspirer ? Il ne suscite pas l'empathie parce que lui-même est incapable de compassion. »

C'est cette ancienne amie de Juppé qui chercha à m'ôter l'envie de portraiturer « un homme qui fait l'amour en regardant sa montre et qui est capable de quitter le lit de sa maîtresse en déclarant : "Il faut que j'aille cuisiner un chou." »

C'est Patrick Buisson qui a eu ce mot définitif : « Juppé ? Inéligible ! » Et le politologue d'argumenter : « Il se repose trop sur sa rationalité, il a trop confiance dans ses moyens intellectuels pour accepter de penser l'impensable et d'envisager l'accessoire. Or une campagne électorale, c'est ça. Juppé n'a pas d'avenir, et votre livre non plus. Votre désintéressement vous honore... » Ricanements.

C'est cet illustre éditorialiste qui, gentiment dédaigneux, me tapa sur l'épaule : « Vous savez, Juppé nous a tous fascinés un temps, nous autres commentateurs politiques, mais c'était il y a si longtemps... On en est revenu. Vous en reviendrez aussi. En attendant, écrivez sur l'avenir de la classe politique, sur les jeunes talents, il y en a quand même quelques-uns... Vous n'avez pas l'âge de vous enquiquiner à essayer de comprendre ce barbon. »

Et voilà que, précisément parce que c'est un « barbon », un tristo-pudiquo-rationnel, une « tête d'épingle », et tout et tout et tout ce qui précède, grâce à toutes ces caractéristiques devenues vertus, Juppé est, douze ans après, celui dont les Français ont le plus envie d'avoir envie.

Ça ne veut pas dire qu'ils le choisiront *in fine*. Parce qu'ils n'ont pas fait le deuil de leur goût du bruit et de la fureur télégénique.

Ça veut dire qu'en attendant, ils ont envie d'avoir envie de s'ennuyer un peu avec Juppé.

« Si je fais mon Juppé, je suis mort ! »

Qu'on se le dise : Alain Juppé a traumatisé quelques générations d'hommes politiques. Il faut voir le soin qu'a mis Laurent Wauquiez, en arrivant à l'Assemblée nationale au cœur de l'été 2004, pour tenter de faire oublier qu'il était sorti des mêmes écoles que son maudit aîné, mais encore mieux classé que ce dernier – après Normale, Wauquiez a été reçu premier à l'agrégation d'histoire et a fini major de l'Ena –, ce qui était de nature à aggraver son cas, craignait-il. Je me souviendrai longtemps de la façon dont ses fossettes ont blêmi, si si, quand, malgré tous ses efforts pour faire oublier qu'il était le plus intelligent d'entre eux, il est tombé sur un article du *Monde* le portraiturant en « Juppé sympathique ». Autant l'ancien Premier ministre a eu raison de le prendre mal – il a détesté ce papier –, autant Wauquiez aurait pu prendre ça bien. Au lieu de quoi il était très embêté. Le seul fait de se voir comparé à Juppé pétrifiait le jeune ambitieux. À cette époque, le destin politique tragique du fils préféré de Chirac avait convaincu les premiers de la classe politique de ne surtout pas jouer aux intelligents. « Si je fais mon Juppé, je suis mort ! », me répétait Wauquiez, qui précisait : « Il est le symbole d'une gangue d'éducation et de raisonnement que tu ne peux pas rompre. Il en sera toujours prisonnier. Moi, je veux rompre cette gangue. » Juppé était l'anti-modèle, celui auquel il ne fallait ressembler pour rien au monde. Les nouveaux meilleurs d'entre eux se le tenaient pour dit.

Ce qui est amusant, c'est que le traumatisme a perduré beaucoup plus longtemps qu'il n'aurait dû... On en a vu la trace chez un autre membre de la caste des mieux diplômés du pays, Bruno Le Maire. Fin février 2016, à cet instant décisif de sa vie politique où il s'est déclaré candidat à la présidence de la République, le quadragénaire a affirmé dans *Le Point* que son « handicap », c'était son « intelligence ». Lui qui, jusque-là, contrairement à Wauquiez, avait revendiqué son cursus honorum – normalien, reçu premier à l'agrégation de lettres modernes, énarque – et était fier d'être celui dont Jacques Chirac disait en lui frottant la tête, quand il était directeur du cabinet de Dominique de Villepin à Matignon : « Y en a là-dedans ! » n'a plus assumé du tout quand il s'est agi de sauter dans le grand bain, celui de la présidentielle. Le fantôme de Juppé est venu le hanter. Le Juppé d'autrefois, celui qui était mal aimé. Car le paradoxe, c'est que Le Maire a fait cela au moment même où le Juppé d'aujourd'hui vit une incroyable histoire d'amour avec l'opinion publique. Preuve que l'intelligence ne rebute pas – ou plus – les Français... Mais il faudra attendre la génération d'après pour que « faire son Juppé » devienne un compliment. C'est dire si le traumatisme était profond.

L'infamie

« Ne vous inquiétez pas, Alain, ça n'a aucune importance, ce sera oublié au bout de six mois », lui jurait Jacques Chirac. « Moi, je n'oublierai jamais », répondait Alain Juppé. Cet échange-là, au mot près, ils l'eurent tant de fois, du temps du premier puis du second procès des emplois fictifs de la Ville de Paris.

Juppé ne mentait pas : il n'a jamais oublié. Il n'oubliera jamais. Il ne pardonnera pas davantage. À personne. Impossible, même de longues années après, d'évoquer avec l'ancien Premier ministre sa comparution devant les tribunaux de Nanterre puis de Versailles sans voir son œil luire de ressentiment.

Ce n'est pourtant pas faute d'avoir réduit au strict minimum sa présence sur le banc infamant des accusés. Contrairement à Dominique de Villepin, qui s'est fait fort de ne manquer aucune audience des procès Clearstream I et II, Juppé, lui, ne se montra que lorsqu'il y fut obligé. Assez, cependant, pour être « marqué », « et à vie », précisait-il, par « le comportement des gens, leur regard. Et la situation dans laquelle j'étais : debout, assis, couché... »

« Couché ? s'étonnait-on.

– Presque... J'ai été obligé de demander à la présidente du tribunal l'autorisation d'aller aux obsèques de ma mère. C'est quelque chose que je n'oublierai pas. En termes d'humiliation...

– Est-ce ce sentiment d'humiliation qui vous faisait paraître plus raide que jamais ?

– C'est ma manière de rester digne ! Il faut une certaine rigidité pour rester droit, parce que si la colonne vertébrale n'est pas bien armée, c'est l'effondrement... J'aurais pu tomber dans la neurasthénie, la dépression, pourquoi pas l'alcoolisme, ironise-t-il. Quand vous êtes face à l'adversité, le courage, c'est de ne pas faseyer d'un centimètre, parce que quand on commence... »

Il a eu peur de ne pas se relever. Peur de ne pas réchapper de son « annus horribilis », cette année 2004 qui supporta, outre la mort de sa mère, Marie, survenue dans la nuit du 14 au 15 octobre, les deux dates sur lesquelles s'abîma sa trajectoire politique : le 30 janvier, sa condamnation par le tribunal correctionnel de Nanterre à dix-huit mois de prison avec sursis et dix ans d'inéligibilité pour prise illégale d'intérêts ; le 1er décembre, la réduction par la cour d'appel de Versailles de sa condamnation à quatorze mois de prison avec sursis et un an d'inéligibilité.

« Cet épisode judiciaire m'a coupé les jarrets. » Juppé a souvent recours à cette expression de garçon boucher, c'est étrange, on ne s'attend pas chez lui à ce que le corps parle en premier, encore moins le corps ramené à l'état de viande, et pourtant c'est par son truchement qu'il exprime ce qu'il a ressenti de plus violent et de plus douloureux. Qu'on se le dise : rien ne saurait être pire, pour l'ancien Premier ministre, que de se faire « couper les jarrets ». Parce qu'on s'étonnait de cette expression, il embraya, en réprimant (mal, comme toujours, et c'est pour ça qu'il ne sera jamais comme les autres, et tant mieux) un soupçon d'agacement :

« Ce que je veux dire, c'est que ça m'a cassé. Ma carrière a été pulvérisée. J'ai subi une espèce de choc. J'ai senti un ressort qui lâchait. Tout pour moi s'est effondré. » À l'époque – et cette époque a duré longtemps… –, il croyait que c'était pour toujours, qu'il ne s'en relèverait pas : « Incontestablement, cela m'a changé. C'est mon envie de tout sacrifier à la politique qui s'est brisée. Parce que j'ai vu les méthodes de ceux qui m'ont traîné

95

dans la boue. Je me suis rendu compte que le combat pour devenir président de la République était sans merci. Je n'ai pas envie d'utiliser les mêmes armes sans foi ni loi que ceux qui ont voulu me détruire ! Je me suis fait casser alors que j'étais sur une rampe de lancement. » Complexe de persécution ? Dans la poignée d'années qui suivit le procès, on ne compte plus les fois où Juppé fit allusion de manière de moins en moins voilée à ce qu'il soupçonnait être « une opération de dézingage politique ». À l'en croire, le procès en était le point d'orgue. Le point final. Final parce que fini. Achevé. Mort. À terre. Au lendemain du jugement de première instance, Juppé n'avait que ces mots à la bouche : « J'ai été condamné à perpétuité ! »

Les attendus du jugement l'ont terrassé. Le plus célèbre d'entre eux, surtout. Celui ainsi libellé : « Attendu que la nature des faits commis est insupportable au corps social comme contraire à la volonté générale exprimée par la loi ; qu'agissant ainsi, Alain Juppé a, alors qu'il était investi d'un mandat électif public, trompé la confiance du peuple souverain. » Juppé n'a pas supporté. « Ça m'a fait l'effet d'une espèce d'ébranlement profond », avouait-il. Il en fut ébranlé, mais aussi indigné : « Je ne reconnais pas le droit à ceux qui siégeaient au tribunal de Nanterre de porter un jugement sur ma vie, fulminait-il. Ça me révulse fondamentalement. » L'orgueil, toujours l'orgueil... Conjugué à une rancœur tous azimuts.

Contre les juges, qu'il accuse d'avoir mené un « procès politique ». Il fallait l'entendre s'ulcérer : « "Alain Juppé a trompé la confiance du peuple souverain" : ça, ce n'est pas de la justice, c'est de la politique ! »

Contre la « complète paranoïa » du tribunal. Juppé était intarissable sur le sujet : « Le jour du verdict à Nanterre, relatait-il, la présidente du tribunal a expressément indiqué que le jugement définitif ne serait pas remis aux avocats ce jour-là, car, a-t-elle dit, "l'outil informatique mis à la disposition du tribunal ne garantit pas la confidentialité du délibéré". Ce tribunal s'est fait des fantasmes. L'un des juges posait un cheveu sur les tiroirs de son bureau pour s'assurer le lendemain matin qu'ils n'avaient pas été ouverts. Trois enquêtes ont été diligentées et les trois ont conclu qu'aucune pression n'avait été exercée. »

Contre Jean-Louis Debré, secrétaire général adjoint du RPR au moment des faits incriminés, qui a refusé d'expliquer au tribunal que, entre 1993 et 1995, Juppé, officiellement secrétaire général du parti, ne mettait les pieds Rue de Lille[1] qu'une fois par trimestre pour présider le bureau politique.

---

1. Siège du RPR à l'époque.

« Il m'a répondu qu'il ne pouvait pas écrire cette lettre. Très bien. » Ce « très bien » recèle toute la colère du monde, et au-delà.

Contre Dominique Perben, pourtant l'un de ses plus proches amis politiques, qui fut garde des Sceaux de 2002 à 2005 et dont Juppé aurait rêvé qu'il accomplisse un miracle judiciaire…

Contre Yves Cabana[1], son ancien directeur de cabinet au RPR, qui lâcha à la barre le retentissant « tout le monde savait », soit l'inverse de la ligne de défense de Juppé. « Il s'est mal conduit, a considéré Juppé sur le moment – ils se réconcilieront plus tard. On dit que je suis arrogant, mais à côté d'Yves Cabana, je suis un enfant de chœur. » Cette dernière phrase lui tire un petit rire. Le jour du verdict, il ne riait pas du tout. Il n'avait pas dormi de la nuit et il avait « la chiasse », comme il le dira à un ami. Quand il a quitté Nanterre, une pluie glaciale tombait. Isabelle et lui ont roulé jusqu'en Normandie. « Le plus dur, avouera-t-il quelques années plus tard, ça a été de découvrir la une de *Paris Match* avec la photo prise au téléobjectif et où on nous voit, Isabelle et moi, en train d'errer dans les rues de Honfleur. »

Dix mois après Honfleur, le 1er décembre 2004, jour où la cour d'appel de Versailles a rendu son

---

1. L'auteur a épousé Yves Cabana en 2009.

arrêt, Maurice Gourdault-Montagne[1] lui téléphone pour se réjouir du verdict. Juppé rétorque amèrement : « Tout le monde m'appelle pour me dire ça, je suis le seul à ne pas partager l'allégresse générale. »

Pour lui, le déshonneur demeurait. Certes, il n'était plus question d'avoir « trompé la confiance du peuple souverain ». Mais Juppé avait beau savoir, comme il l'énonçait pour s'en convaincre, que « dans le droit français, le jugement d'appel anéantit le jugement de première instance, et que, par conséquent, le jugement de première instance n'existe plus », dans sa tête, la marque était indélébile. Sans compter que l'arrêt de la cour d'appel ne l'avait pas absous, et que cela seul l'eût apaisé. « Ça n'a fait que corriger un peu les choses... », estimait-il, déçu. Preuve qu'il escomptait encore une divine surprise. « J'ai ressenti ma condamnation, même allégée, comme totalement injuste. Ce fut une vraie épreuve, une vraie souffrance, une vraie blessure. À côté, tout le reste ne fut que piqûres d'insectes. »

« Il ne devrait pas se plaindre », me fit valoir il y a quelques années Alain Carignon, qui, pour avoir été, en 1996, condamné à cinq ans de prison, dont quatre ans ferme, sait de quoi il parle :

---

1. Ancien directeur de cabinet de Juppé à Matignon.

« Judiciairement parlant, Juppé s'en est merveilleusement bien sorti. Les procureurs ont fait pour lui un boulot qu'ils n'ont pas fait pour d'autres. Suivez mon regard… (Il parle de lui.) Juppé a été vraiment choyé. Choyé de chez choyé. Normalement, il aurait dû avoir deux ou trois ans de grosse prison. » Quand Juppé lira ça, c'est peu dire qu'il va bondir. Car il faut bien voir que jusqu'au bout il a espéré un non-lieu. Encouragé en ce sens par son avocat, Francis Szpiner, qui lui avait dit que s'il niait, il serait acquitté. « Szpiner lui a concocté une défense de bandit. La défense idiote du type qu'on trouve au-dessus du cadavre avec un pistolet fumant et qui nie », regrette un proche de l'accusé. Selon Jean-François Probst, « Alain est apparu menteur, et même un peu lâche ». Sans aller jusque-là, Christine, sa première épouse, affirmait : « Alain s'est fait avoir par son avocat, qui lui a dit de nier. »

L'intéressé ne l'entend pas ainsi. Primo, il n'a « pas nié, me jura-t-il. J'ai dit : "Je savais globalement qu'il y avait des choses à rectifier et des pratiques non conformes aux différentes lois qui se succédaient, j'ai donné pour instruction de les corriger et je ne m'en suis pas occupé. Je reconnais que ma faute, ça a été une insuffisance de vigilance." C'est ce que j'ai dit ! En première et en deuxième instance ! » Secundo, à l'entendre,

Szpiner fut « parfait ». Juppé ne lésinait pas sur son soutien : « Je trouve assez misérable qu'un certain nombre de gens, y compris parmi mes amis, se soient déchaînés pour faire porter le chapeau au lampiste. Moi je lui suis tout à fait reconnaissant, il s'est battu comme un beau diable. » Quand Szpiner lui remit sa démission, après la première instance, le condamné la refusa. « Ce sont les juges qui ont été mauvais ; pas vous ! » Lors du procès en appel, Szpiner fut flanqué de l'ancien bâtonnier de Paris Jean-René Farthouat, un nom soufflé à Juppé par Jérôme Monod et Pierre Mazeaud, tous deux fervents militants anti-Szpiner. « Avoir gardé Szpiner, un avocat qui vous dit que ce n'est pas grave, que vous allez en prendre plein la gueule en première instance, mais que vous ferez appel, quelle folie ! », s'insurgeait alors Mazeaud. Juppé n'en démordit pas, et, des mois après, il continuait d'assurer, cabochard : « La meilleure plaidoirie en appel, ce fut celle de Szpiner ! »

Lui, Juppé, ne fut pas meilleur qu'en première instance. Plus prompt à désigner des coupables, peut-être. Autant Yves Cabana n'a pas rechigné quand Juppé a renvoyé sur lui la responsabilité des emplois fictifs des entreprises privées (« Il ne m'a jamais alerté », a dit Juppé devant le tribunal), autant Michel Roussin a fort peu apprécié que Juppé « ait choisi de compromettre l'ancien directeur de cabinet du maire de Paris », selon les termes employés par Roussin dans la lettre qu'il fit porter à la présidente de la cour d'appel en octobre 2004. « Je constate que la nouveauté de son système de défense consiste en réalité à se défausser sur des tiers », y écrivit-il aussi.

Quand, un peu plus de deux ans après, on interrogea Juppé à ce propos, il tonitrua : « Faut pas trop me titiller là-dessus, parce que si vraiment je m'étais défaussé sur Roussin ou sur d'autres, les choses auraient pris une tournure bien différente ! D'une façon générale, le moins qu'on puisse dire est que je n'ai accablé personne ! », martela-t-il en s'efforçant de lustrer l'auréole à laquelle il tenait : celui qui a payé pour tout le monde, celui qui « a assumé même ce qu'il n'avait pas commis ». Cette auréole, il n'entendait pas permettre à Roussin de la salir. Piqué au vif, voici comment il justifia la mise en cause de Roussin : « Je ne pouvais pas laisser dire que le directeur de cabinet du maire de Paris n'était pas au courant de l'affectation des gens du cabinet. Faut pas pousser le bouchon trop loin ! Je veux bien porter le chapeau pour autrui, mais il y a des limites ! » Protéger Chirac, passe encore ; couvrir les autres, non ! S'ensuivit un long soupir. Et de nouveau la colère : « Oh, c'est vrai, j'aurais pu ne même pas essayer d'apporter quelques éléments de défense, j'aurais pu dire : "Je ne me défends pas." C'était la thèse de Nicolas Sarkozy, qui me conseillait de tout confesser. "Si tu reconnais tout, disait-il, ça se passera très vite, la justice sera clémente." Eh bien non ! Moi je ne mange pas de ce pain-là ! Je ne vais pas confesser ce que je n'ai pas fait ! »

Quelque stratégie que lui eût suggérée Sarkozy, Juppé aurait adopté la position inverse, méfiance oblige. Il s'en tint donc à professer sa bonne foi, ainsi qu'il le fit encore devant moi : « Je n'ai jamais eu le projet de me mettre en travers de la loi. J'ai au contraire essayé de régulariser les situations dont j'avais hérité. Je ne l'ai peut-être pas fait suffisamment vite et suffisamment bien, parce que j'avais la tête à autre chose... Mais qu'on me considère comme responsable de la gestion quotidienne du RPR, alors qu'en 1993 j'étais ministre des Affaires étrangères, il faut le faire ! » Juppé poursuivit sur sa lancée enragée : « Pourquoi est-ce qu'il y a des gens qui étaient dans des situations exactement identiques et qui n'ont même pas été mis en examen[1] ? C'est le signe d'un dysfonctionnement majeur de la justice. Quand j'ai posé cette question à un magistrat, il m'a dit : "On ne voulait pas trop charger le procès"... C'est terrifiant. Et

---

1. Ainsi de Jean-Louis Debré, qui était secrétaire général adjoint du RPR à l'époque, et qui n'a pas été inquiété.

scandaleux. » Et Juppé de s'en prendre au système judiciaire dans son ensemble : « Quand des juges envoient en prison des innocents, il n'y a pas de sanction. On parle de l'irresponsabilité des hommes politiques, mais nous, nous sommes soumis à la sanction électorale. Un jour, il faudra que je raconte ce que j'ai observé, ce serait d'utilité publique. » Il grimaça, balaya cet élan d'un revers de la main. « Non, je suis le dernier à pouvoir le dire. Dans ma bouche, ça apparaîtrait immédiatement comme une sorte de vengeance personnelle. » Quelle idée… !

Le tigre qui pleure

La pluie ruisselait sur les immenses baies vitrées du dernier étage du centre Georges-Pompidou, à Paris. Le printemps était fort avancé, pourtant. En ce 3 juin 2005, la météo était aussi désappointée qu'Alain Juppé. Sitôt assis, l'ancien Premier ministre commanda du « tigre qui pleure ». Cet oxymore en trois mots a d'emblée accroché son regard. Juppé n'a pas poursuivi la lecture de la carte. Ce serait du « tigre qui pleure », sinon rien. « À cause du nom », a-t-il précisé. Certains jours, il est réconfortant de penser que même les tigres ont le droit de pleurer... De la pluie et des larmes, donc. « Le tigre qui pleure », a lentement répété Juppé, comme réconforté.

« Vous savez ce que c'est ? lui demanda-t-on, intriguée par son élan.

– Non... »

Il s'en fichait pas mal, d'ailleurs. C'est tout juste s'il prêta attention, quand on s'avisa de lui détailler la composition de ce plat de bœuf d'inspiration thaïe. Isabelle et moi le suivîmes dans cette voie culinaire. Lui de s'esclaffer tristement : « On va pleurer ensemble ! C'est une journée de pleureurs. » Parfois, la vérité sort de la bouche d'un fauve politique désinhibé par la douleur.

La veille, 2 juin, un nouveau gouvernement avait été formé par Dominique de Villepin au mépris des amis et des avis d'Alain Juppé.

Hélène Arnault puis Nicole Dassault – assises chacune à un coin de la salle – eurent quelque mal à dissimuler leur commisération, quand elles se levèrent de table pour venir saluer le couple Juppé. Ni l'une ni l'autre ne souffla mot à l'ancien Premier ministre de cette actualité politique qui se déroulait sans lui et en dépit de ses recommandations. « Dominique est trop impétueux pour être Premier ministre », avait encore assuré Juppé à Chirac quelques heures avant que ce dernier ne nomme Villepin chef du gouvernement. Juppé avait plaidé en faveur de Nicolas Sarkozy. À ses yeux, mieux valait saisir cette dernière occasion de « carboniser » Sarkozy que d'offrir à Villepin une rampe de lancement pour ses dangereux rêves de grandeur.

C'est peu dire que Chirac n'avait pas tenu compte de son jugement. Villepin pas davantage. La veille de notre déjeuner, Juppé s'était rendu dans le bureau du nouveau locataire de Matignon pour défendre la cause ministérielle d'Éric Woerth et Xavier Darcos, que Villepin n'avait pas l'intention de reconduire. Le soir, aucun des deux hommes n'eut l'heur d'entendre son nom égrené sur le perron de l'Élysée. Quand Juppé a téléphoné à Woerth, il lui a dit : « Tu sais, je ne suis pas le deus ex machina que les gens pensent. » Réponse impitoyable de Woerth : « Je sais. J'ai vu. » Le lendemain de cette déconfiture, Juppé était devant moi. On pleurerait à moins. Rien ne lui aura été épargné.

Le 29 mai 2005, il n'avait pas été autorisé à mettre un bulletin dans l'urne pour approuver la Constitution européenne. Pour la première fois de sa vie, il n'avait pas pu voter. Ô indignité, ô déshonneur : le voilà, lui, cet enfant de la méritocratie républicaine qui a voué sa vie au service de l'État, privé de ses droits civiques. Rejeté au ban de la société des citoyens. Comme un vulgaire criminel. Il n'avait pas encore quitté la France que déjà il était banni. Exilé de l'intérieur. Paria dans la cité.

Il était sur le départ pour le Québec. Mais même cette lointaine province ne semblait pas vouloir l'accueillir à bras ouverts. Son arrivée là-bas avait déclenché une polémique infamante sur l'opportunité de laisser un « repris de justice » enseigner. Il en aurait blêmi de honte.

Ce jour-là, sous les verrières trempées d'eau du restaurant, il tenta de donner le change. Villepin l'avait appelé, racontait-il, ils devaient se voir le lendemain après-midi afin que Juppé l'aide à concevoir son discours de politique générale. On n'est jamais aussi jaloux de son pouvoir que lorsque celui-ci se délite. Il ne déplaisait pas à Juppé de se voir dépeint par la presse en « co-régent occulte ». Ce statut factice lui était une consolation. La seule. Pour la forme, il jurait : « Je veux qu'on me foute la paix. » Ses yeux disaient l'inverse. « C'est vrai qu'avec mon blog je prête le flanc. D'autant plus que je n'ai pas résisté à faire un commentaire sur les bisbilles gouvernementales Raffarin-Villepin. »

De la même façon que devant moi, entre la poire et le fromage, il ne résistera pas au plaisir – un peu cruel – de relever que Villepin allait devoir cohabiter avec un Sarkozy promu ministre d'État. « Tous les commentateurs disent qu'il y a deux Premiers ministres », soulignait-il. « Je n'aurais jamais accepté ça, moi, évidemment. » L'orgueil est parfois bien utile…

Ne pouvant plus jouer lui-même les premiers rôles, Juppé n'avait pas renoncé à faire le casting. Il eût aimé être faiseur de roi. Du temps où il avait ce pouvoir, il ne s'en vantait pas. Maintenant qu'il ne l'avait plus, il surjouait. C'est, insistait-il, grâce à lui que Xavier Bertrand avait obtenu un ministère plein ;

grâce à lui que Philippe Douste-Blazy avait été « bien traité » – « il voulait tant les Affaires étrangères », expliquait Juppé avec une once de paternalisme ; grâce à lui que Renaud Dutreil n'avait pas été limogé.

Cela sonnait faux. Soudain, il se mit à chercher le nom du ministre de l'Environnement nouvellement nommé. En vain. « Nelly Olin », lui dis-je. Il fronça les sourcils en signe d'étonnement, ne parut pas me croire, me fit répéter. Moins de deux ans plus tard, le 18 mai 2007, il y aura passation de pouvoir entre ladite Nelly Olin et lui-même. Il est des ruses du destin dont on se passerait volontiers...

Quand, après les haricots verts qu'il s'était infligés en entrée, arriva enfin « le tigre qui pleure », Juppé le dévora. Et se prit à regretter Jean-Pierre Raffarin, ce Premier ministre qu'en 2002 il avait choisi avec Jacques Chirac. Empêché d'occuper lui-même le poste, Juppé avait convaincu le chef de l'État de nommer là quelqu'un qui ne se prendrait pas pour ce qu'il n'était pas : un véritable Premier ministre. Ça allait très bien à Juppé que, le mardi matin, à Matignon, lors du sacro-saint petit-déjeuner de la majorité, les éminences réunies autour de la table de Raffarin se fussent chaque semaine demandé, deux ans durant (de 2002 à 2004), qui, de Raffarin ou de Juppé – alors président de l'UMP – était le vrai Premier ministre. Une confusion des rôles qui troublait tous les participants, et jusqu'au directeur de cabinet de Raffarin ! Le Poitevin a eu l'habileté de ne jamais s'en plaindre. Il savait à quoi s'en tenir. Il savait qu'il devait à Juppé son improbable nomination. Il ne se serait jamais avisé de faire quoi que ce soit de signifiant sans en référer à « Alain ». « Il est mon ancre », disait Raffarin. Cette révérence convenait bien à Juppé. Mais tout avait changé, désormais. Il n'était plus l'« ancre » de personne. Villepin venait de montrer qu'il entendait s'émanciper de son ancien patron.

Juppé n'avait pas oublié que l'affranchi du jour avait été son directeur de cabinet, douze ans auparavant. Pas facile de voir un ancien collaborateur prendre la place que l'on n'a plus le droit d'occuper. Isabelle aurait tant voulu lui rendre l'épreuve moins pénible. « La cuisine est devenue grasse, à Matignon. Pas comme quand tu étais Premier ministre », a-t-elle affirmé en tournant une paire d'yeux tendres vers son époux, qui lui prit amoureusement la main en rétorquant : « Ce n'est pas vrai. C'est toujours très bon. »

Ce jour-là, les larmes du tigre ne lui ont pas coupé l'appétit. Il a même pris un dessert.

À 14 h 30, il a regardé sa montre et s'est levé précipitamment. Il devait laisser penser qu'il travaillait. Qu'il était sollicité. Qu'il enchaînait les rendez-vous. Qu'il ne passait pas son temps à pleurer sur lui-même. Même comme un tigre.

Outremont, outre-monde, outre-tombe

1205 Saint Viateur Ouest – Outremont. Ici a reposé Alain Juppé, entre août 2005 et juillet 2006. Ce fut son adresse, quand il se crut bon à ranger au cimetière de la vie politique. Quand il mit un océan entre la France et lui. Quand il s'enfuit au Québec.

Alain Juppé s'exila à six mille kilomètres de Paris, au 1205 Saint Viateur Ouest – Outremont. Des sonorités qu'on croirait inventées par Saint-Exupéry pour son Petit Prince triste. Le libellé d'une adresse dans le ciel. Ou bien au purgatoire. Outremont. Outre-mer. Outre-monde. Outre-tombe.

Outremont, donc. Il fallait le faire. Il fallait choisir ce quartier chic, paisible et morne de Montréal, pour tenter d'oublier Paris et ses clameurs.

En ce début novembre 2005, d'immenses arbres dorés s'embrassaient au-dessus de rues jonchées de feuilles mortes. Et ça tournoyait dans le vent cinglant, et ça valsait maussadement. Outremont. Quartier résidentiel où les maisons succèdent aux maisons, plus ressemblantes et plus sages les unes que les autres. Il y a bien une rue commerciale, la rue Bernard. Déserte. Il faisait trop froid.

Le temps se traînait et s'étirait jusqu'à la désagrégation. Les accents aussi. Ici on parle un français allongé, maltraité. « Ce n'est pas comme si on était au Népal ; ici, les gens sont francophones », crut utile de se féliciter Juppé, après m'avoir fait visiter sa maison de location gentiment bourgeoise, avec son petit jardin qui donnait sur celui du voisin. Il s'assit dans son canapé, loué lui aussi. Rien de personnel. Surtout rien qui accrocherait l'œil ou le cœur. Juppé avait tout laissé derrière lui pour élire domicile à Outremont, le quartier français de Montréal. La langue est la bouée de l'exilé. Partout un goût de France, et nulle part ce n'était la France. Un ersatz. La saveur n'y était pas. Mais la frustration, si. N'est-ce pas pire que tout ? Au Népal, au moins, Juppé eût été obligé de couper les ponts… À Outremont, la presse française arrivait avec (seulement) un jour de retard. Mais c'était déjà trop long pour l'ancien Premier ministre, qui la consultait quotidiennement sur Internet.

Comment faisait-il pour continuer à se donner le sentiment d'être un homme pressé, dans un univers aussi propre, lisse et sans histoire ? Il soupira : « Moi qui suis un impatient, parfois c'est dur, c'est crispant, de les entendre dire : "Ça va pas être long." »

Il était, comme l'énonçait devant moi Dominique de Villepin à l'époque, « dans un étau où il faut être là sans être là et apprendre l'humilité ». Rapporta-t-on cette formule à Juppé qu'il s'énerva : « Je n'ai pas besoin d'apprendre l'humilité. Lui, oui. Ce n'est pas l'humilité que je suis venu chercher au Québec. » Qu'est-ce, alors ? Il n'avait pas su dire.

L'exil lui était apparu comme une nécessité, « pour ne plus voir, ainsi qu'il m'en fit la confidence, le regard des gens ». Gérard Longuet essaya de le convaincre de rester vivre à Bordeaux, cette commune dont il s'était fait aimer, même si son inéligibilité l'obligeait à démissionner de son mandat de premier magistrat local. « Je n'ai rien à y faire si je ne suis plus maire », rétorqua Juppé, qui s'empressa de vendre la maison qu'Isabelle adorait. « Moi je n'aurais pas fait ça, estimait Longuet. Personne n'aurait fait ça. » Sept ans plus tard, Juppé le regretta. « Je n'aurais pas dû vendre cette maison. C'était un coup de tête, un coup de colère. » Puis ces mots inouïs, dans la bouche de Juppé : « Ce n'était pas rationnel. » On n'était pas sûre d'avoir bien entendu. C'est comme s'il avait dit :

« Ce n'était pas moi. » Il fallait qu'il soit sorti de lui-même, et pas qu'un peu, pour agir irrationnellement !

À l'époque, sa rationalité était écrasée par une obsession : partir loin.

Le plus loin possible, tout en gardant des repères linguistiques. Il trouva refuge au milieu de ces Nord-Américains qui parlent un drôle de français. Curieusement – mais est-ce vraiment si curieux ? –, il suivit le même chemin que Philippe Séguin avant lui, quand celui-ci, en 1999, après avoir théâtralement abandonné la présidence du RPR et la tête de liste aux élections européennes, se mit pour un an en retrait de la vie politique. La voie ouverte par un rival détesté et envié, il n'y a que ça de vrai. C'est presque un terrain connu. Las, pour Juppé, ce fut autrement plus compliqué que pour son ennemi juré. L'Université du Québec à Montréal (UQAM), qui avait chaleureusement hébergé Séguin comme professeur invité – avant de lui décerner un doctorat honoris causa « pour sa contribution remarquable à la défense de l'idéal démocratique » –, ne voulut pas de Juppé. Un établissement aussi respectable ne saurait se compromettre en recrutant un homme condamné pour prise illégale d'intérêts, voilà en substance ce qui lui fut répondu. Ceux-là mêmes qui offrirent l'hospitalité à son concurrent de toujours éconduisirent

Juppé comme un malfaiteur. Une humiliation au carré.

Rejeté par les sommités de l'UQAM, le paria fut, après une longue controverse, embauché par l'École nationale d'administration publique (ENAP) comme professeur d'administration publique. Jamais il n'oubliera le traitement infamant qui lui fut réservé. Le « tribunal populaire » – ce furent ses mots – qui l'accueillit, quand il vint en repérage, en janvier 2005. « Un tribunal constitué du recteur de l'UQAM, dont j'ai appris depuis que c'était un ancien trotskiste militant, et puis deux ou trois professeurs de cette université qui m'ont fait passer une sorte d'examen de déontologie. Ce fut un moment extrêmement pénible », affirma-t-il, l'œil voilé de ressentiment. Le temps ne gomma pas cette meurtrissure. Quand il quitta le Québec, « sous les fleurs et sous les éloges », me précisa-t-il un an plus tard, il lui fallut se retenir pour ne pas écrire « à ce petit trou du cul de recteur de l'UQAM » (*sic*). Cet homme qui s'était permis de lui refuser ce qui avait été accordé six années plus tôt à Séguin. « J'ai eu envie de lui écrire : "Je n'ai pas oublié votre tribunal révolutionnaire, votre jury populaire, votre jury universitaire." Je ne l'ai pas fait. » Il faudrait plus qu'un exil pour apaiser un si bel esprit de vengeance… À moins de s'exiler sur une île sublime caressée par des vents propices à l'amnésie… Montréal n'est pas exactement cet endroit-là. Juppé lui-même n'a pas prétendu que c'était une belle ville, non, ce serait malhonnête et il ne l'est pas, mais il jurait qu'il y mena « une vie agréable ». Jugez plutôt : lever à 5 heures du matin. Coucher vers 21 heures. « Après avoir regardé le journal télévisé », spécifia-t-il. « Les Québécois dînent à 6 heures et demie. »

Quand, au téléphone, je lui demandai de me conseiller un restaurant à Ottawa, la ville dans laquelle il donnait des cours une fois par semaine, il fut bien en peine de le faire. « Moi je mange des "hambourgeois", comme ils disent ici, sur l'auto-route, parce que je finis mes cours à 20 h 30 et que les restos sont déjà fermés à cette heure-là. » Il soupira. Ces allers-retours hebdomadaires et noc-turnes entre Ottawa – « cette ville atroce » – et Montréal furent ce qu'il détesta le plus, dans sa nouvelle vie. C'était le moment où il ne savait plus museler ni les fantômes ni les angoisses.

Certes, pour ne pas le laisser seul, Isabelle l'accompagnait le plus souvent. Mais quand, avec ou sans elle, il se trouvait au volant de sa voiture – une Chevrolet Equinox achetée tout exprès pour faire des kilomètres – à chercher un restaurant ouvert et qu'il finissait par échouer « le long de la route dans un McDo carrelé comme une salle d'hôpital », il n'échappait pas au désarroi. « De temps en temps, je me dis : "Mais qu'est-ce que je fous ici, à 11 heures du soir, tout seul, sur l'autoroute Gatineau-Montréal ?" Il y a un moment où on se pose des questions. » Une « vie agréable », c'est ce qu'il disait...

« Soyez là à 12 h 30. Ici on mange tôt », m'avait-il signifié au téléphone, après avoir accepté de me revoir – ni lui ni moi n'avions, lors de cette reprise de contact, reparlé du livre dont il avait voulu, puis plus voulu. Nous fîmes comme si de rien n'était. Comme s'il ne m'avait pas éconduite avec rudesse. « Je mettrai ma perruque pour vous accueillir », avait-il plaisanté – toujours au téléphone. Allusion à une photographie de lui déguisé pour Halloween publiée quelque temps plus tôt dans *Le Parisien*. « Je ne sais pas comment ils ont réussi à faire la photo. Bientôt, je vais être filmé dans ma chambre à coucher. » Il faisait mine de s'étonner qu'on ne lui « foute pas la paix ». Il feignait d'être offusqué ; il était soulagé. Soulagé que les médias ne l'aient pas oublié. Soulagé de constater qu'il avait été le héros de tous les articles annonçant le déplacement de Villepin au Canada et au Québec, prévu en ce début novembre 2005. Il imaginait déjà une meute de cameramen se ruant sur lui. « Je n'y couperai pas. Je ne pourrai pas leur échapper », assurait-il, non sans gourmandise. Quand Villepin annula *in extremis* son déplacement pour cause de crise des

117

banlieues, il l'apprit à la télévision. Villepin n'eut pas la délicatesse de prendre son téléphone pour l'avertir avant de l'annoncer aux députés, dans l'hémicycle... Double peine, pour Juppé. Non seulement Villepin ne le traitait pas avec les égards dus à son rang, mais en plus il le privait du plaisir de se retrouver au cœur d'un cortège officiel, au centre de l'attention médiatique. Juppé comptait en effet participer à tous les temps du voyage du Premier ministre. « J'aurais été partout. Isabelle trouvait que c'était trop, mais sinon, on aurait dit qu'il y avait rupture entre Villepin et moi. » Prétexte idéal. Vis-à-vis de lui-même, d'abord. Il poursuivit : « Un ami m'a dit que, pour un peu, les titres des articles auraient pu être : "La rencontre Juppé-Villepin est annulée." » Juppé se rassurait comme il pouvait. Il questionna :

« Vous étiez combien de journalistes accrédités ?

– Une trentaine.

– C'est beaucoup », dit-il, comme à regret.

Il revint à la charge :

« Ils sont venus pour moi ? »

Il se savait ridicule, mais c'était plus fort que lui : il voulait mesurer le désir qu'il inspirait.

Isabelle et lui m'emmenèrent déjeuner dans un restaurant... français. « Et après ça, vous allez dire qu'on ne parle que de la France. » Ce ne serait pas mentir. Notre déjeuner fut zesté, zébré de France.

Juppé était ravi de trouver plusieurs bordeaux sur la carte des vins. Il le dit et le redit. Et d'abord à la patronne de l'établissement. La France ne s'insinuait pas que dans les verres et les assiettes. Juppé n'avait qu'elle à la bouche.

La France, on l'aime encore mieux de loin, on la fantasme, on la rêve…

Il commenta la situation politique française. Se régala à l'idée que, à force de « se marquer à la culotte », selon son expression, Villepin et Sarkozy pourraient finir par se détruire l'un l'autre. « Sarko ne l'avait pas prévu. Comme je ne suis plus son rival, comme je suis sur la touche, il pensait qu'il était tout seul. Les sondages le donnant au coude-à-coude avec Villepin le rendent fou. » Il fit entendre un rire : « C'est le pari de Michèle Alliot-Marie. » Il ne dit pas que c'était aussi le sien. Il le pensa tellement fort qu'une phrase lui échappa, à la fin du repas, une phrase qui commençait par ces mots : « Si je suis candidat… » On s'en amusa. Il ne renchérit pas, se contenta de poser, à deux reprises, une question dont il connaissait déjà la réjouissante réponse : « Sarko a baissé dans les sondages, non ? »

Il raconta que le ministre de l'Intérieur cherchait son soutien. « Un chiraquien de premier plan comme moi qui porterait le coup de grâce contre Chirac, c'est le scénario rêvé pour Sarkozy. Il dit

119

partout que nous sommes amis. Je laisse dire. » Isabelle l'interrompit : « Les rumeurs nous atteignent moins, ici. » Il opina, et déclara à brûle-pourpoint : « Si Chirac me propose un portefeuille, je dirai non. » Je le titillai : « Vous allez parvenir à résister ? » « En quoi est-ce irrésistible ? » répliqua Isabelle, qui aimerait tant protéger son mari de lui-même. C'est ce dernier qui répondit : « Il est extrêmement difficile pour un homme politique de se voir offrir un beau portefeuille et de dire non… » Isabelle ne le savait que trop. Mais elle avait convaincu son homme d'une chose, par lui exprimée ce jour-là pour la première fois : « Je ne veux plus me faire instrumentaliser par Chirac. Je ne veux pas d'une nomination qui soit le fait du prince. Je ne veux pas faire comme s'il ne s'était rien passé. Il ne s'est pas rien passé. Ce qui s'est passé est très grave, très douloureux. C'est une vraie blessure. »

Quand arriva le dessert, je demandai à Juppé si la France lui manquait. Il regarda Isabelle. Crevait d'envie de répondre oui. Hésita. Trouva un subterfuge : « Bordeaux, oui. » Il dit qu'il aimerait être là-bas pour « faire bouger les choses ». Que le tramway, contrairement à ce que disaient les mauvaises langues journalistiques, était un succès. Isabelle se dévoua pour dire – avec sincérité – tout le bien qu'elle pensait du Québec. Elle avait peur qu'il ne décidât de revenir avant la fin de l'année scolaire, dès qu'il ne serait plus inéligible, c'est-à-dire le 7 décembre. Elle redoutait qu'il ne fût tenté de rentrer en France sans elle et sans les filles, Charline – celle d'Isabelle – et Clara – la leur –, scolarisées à Montréal.

Il les attendit. Il l'avait promis à Isabelle. Il n'en eut pas moins l'œil rivé sur la date de sa délivrance : le 7 décembre. Il fallait voir avec quelle diligence il se précipita alors pour s'inscrire sur les listes électorales à Bordeaux. Sans compter que, pendant cette année québécoise, l'exilé revint en France « quasiment tous les deux mois ».

À leur retour définitif, il me confia que si Isabelle avait « la nostalgie de Montréal », il ne pouvait « pas en dire autant. » « C'était quand même une sorte de semi-retraite… » Rictus. « J'aurais eu dix ans de plus, j'y serais peut-être resté, mais là, j'ai encore dix ans devant moi pour faire des choses. » Dix ans. Cela lui paraissait assez pour prendre sa revanche.

Le traumatisé de Matignon

Doit-on, avec Alain Juppé, considérer que c'est sa condamnation judiciaire qui l'a « cassé » et que, sans cette profonde fêlure dans sa trajectoire plus que parfaite, il aurait été candidat à la présidentielle de 2007 ? Il en est tellement convaincu que j'ai été tentée de l'être aussi. Mais ce serait faire peu de cas de son passage à Matignon. « Le plus grand échec d'Alain », au dire d'Éric Woerth, qui fut pourtant l'un de ses plus fidèles admirateurs. « Une non-réussite sanctionnée par un échec aux législatives de 1997 », choisit de dédramatiser Juppé devant moi. Ce fut hélas bien pire que cela : un fiasco imprévisible et imprévu. Parce que, de lui, on attendait le meilleur.

Quand il fut nommé Premier ministre, en 1995, personne – Philippe Séguin excepté – ne contesta vraiment sa légitimité. Nul ne le détestait absolument. Chacun savait qu'il avait un caractère impossible, qu'il affichait l'arrogance d'un premier de la classe politique, mais il l'était, alors on le lui aurait presque pardonné. On avait le droit d'avoir de la morgue, quand on était le plus sérieux, le plus rigoureux, le plus méritant, le plus apte, le plus compétent, le plus droit, et cætera, et cætera. Et c'était vrai, si vrai. En moins de vingt ans – dix-neuf, précisément –, de collaborateur de Chirac Premier ministre à Premier ministre lui-même, il avait fait un parcours sans faute. Au ministère du Budget, au secrétariat général du RPR, au Quai d'Orsay, partout il avait étincelé. Il arrivait à Matignon auréolé de ces titres de gloire – mérités.

Il portait alors l'espoir du peuple de droite. Il était l'espoir. « Juppé l'audace », alla même jusqu'à célébrer en Une *Libération* le 16 novembre 1995, le lendemain de l'annonce du « plan Juppé » sur les retraites et la Sécurité sociale. Même la presse balladurienne l'encensa. Il n'était que de lire l'éditorial du *Monde* du 17 novembre : « La journée du 15 novembre a toutes chances de rester comme la première date utile du pouvoir issu de l'élection présidentielle de mai dernier. Utile au pays, car celui-ci a désormais un gouvernement. C'est-à-dire une équipe capable de prendre des décisions qui ont non seulement le mérite de la cohérence, mais qui paraissent dictées par une certaine idée de l'intérêt général, quitte à mettre à mal les corporatismes ou les clientèles électorales. »

Son échec à ce poste n'en fut que plus incompréhensible pour son camp et, au-delà, pour la France. On lui en tiendra d'autant plus rigueur que nul, même ses adversaires socialistes, ne le suspectait de ne pas être taillé pour le job. Il incarnait la promesse du succès. C'était une bonne nouvelle pour la droite, une mauvaise pour la gauche. Il était censé réussir. Il le pensait aussi, notez. C'est pour cela qu'il crut pouvoir s'entêter quand le pays descendit dans la rue.

« Dans l'enthousiasme de ma prise de fonctions, j'ai voulu lancer trop de réformes en même temps et ça a un peu trop chargé la barque », reconnut Juppé une décennie après. Mais telle n'est pas, à ses yeux, la raison première de son insuccès. « La faute originelle, ou originale, c'est que je n'avais pas une majorité décidée à me soutenir parce qu'elle était profondément divisée par la lutte entre Chirac et Balladur pendant la campagne présidentielle. Je n'aurais jamais dû accepter d'aller à Matignon sans demander à Chirac de dissoudre l'Assemblée pour reconstituer une majorité vraiment cohérente. Mais je n'y avais pas assez réfléchi, je n'étais pas suffisamment préparé à arriver à Matignon. Même si j'avais l'intime conviction que Chirac me nommerait, il ne m'avait rien promis. Il a laissé planer le suspens pendant toute la campagne, parce qu'il voulait que Séguin continue à se dire : "Ce sera peut-être moi." Et comme j'étais totalement investi dans ma tâche de ministre des Affaires étrangères qui me passionnait, je n'avais pas réellement pensé ni à la nécessité d'une dissolution liminaire, ni à la constitution de mon équipe gouvernementale, ni à mon discours d'investiture. » Conséquences : la majorité était désunie – sans compter, comme le dit Juppé, que Philippe Séguin « était en embuscade à la présidence de l'Assemblée et qu'il n'a pas cessé de me mettre des peaux de banane sous les pieds, avec une espèce d'indulgence curieuse de Chirac... » –, le casting gouvernemental fut raté et le discours d'investiture décevant.

La deuxième raison à laquelle Juppé attribua ses difficultés, c'est « le décalage – moins réel que ressenti, mais ce qui compte, c'est le ressenti – entre les discours de campagne de Chirac et la politique que j'étais conduit à faire. C'est vrai que, quand je suis arrivé – ça fait beaucoup de peine à Sarkozy quand je le dis, encore plus à Balladur –, la France était dans une situation financière et budgétaire calamiteuse. Ça m'a obligé à prendre des mesures fortement impopulaires ». Qu'il vendit comme telles aux Français, au grand dam de Jacques Pilhan qui le chapitrait : « Il faut mettre de l'huile dans les rouages, vous communiquez mal. » Juppé bondit quand on impute ses malheurs matignonesques à sa mauvaise communication : « Je suis absolument convaincu qu'il n'y a pas de bonne façon de communiquer sur une hausse de la TVA. Il n'y a pas de bonne façon de faire avaler les potions amères. De même, on s'est beaucoup foutu de moi quand j'ai fait mes remaniements, en disant que j'avais été brutal, que je n'avais pas reçu les gens, etc. Mais quand vous dites à quelqu'un : "Mon cher ami, tu n'es plus ministre", vous avez beau mettre le maximum de vaseline, ça ne passe pas et c'est tout. » Verdict juppéien : « Il y a des circonstances où, quelle que soit la communication, vous ne pouvez pas transformer du plomb en or. » Juppé tel qu'en lui-même : sincère et brutal…

Et authentiquement affligé de constater que les deux années par lui passées rue de Varenne ne laissèrent point la trace qu'elles auraient dû. « Ce qui me fait mal au cœur, c'est l'espèce d'amnésie qu'on a sur cette période. Comme si toutes les réformes engagées avaient échoué. Ce n'est pas vrai ! J'ai fait des tas de choses qui ont réussi ! Le jour où j'aurai envie de faire mes Mémoires, je serai tout à fait à l'aise avec mon bilan à Matignon parce qu'il est extrêmement nourri et dense. » En attendant, il me livra un petit aperçu de ses motifs de satisfaction. « Ce dont je suis le plus fier, c'est d'avoir apporté une contribution déterminante à la qualification de la France à l'euro. Quand je suis arrivé, on était hors des clous, le déficit public se montait à 5,6 % du PIB. Quand je suis parti, il était à 3,6. J'ai redressé la situation, Lionel Jospin et Dominique Strauss-Kahn n'ont eu qu'à ramasser les lauriers. Par ailleurs, nous avons révolutionné les armées en passant d'une armée de conscription à une armée professionnelle et si aujourd'hui, de l'avis général, les soldats français sur le terrain sont parmi les meilleurs du monde, c'est en partie grâce à la réforme que j'ai engagée. Ensuite, j'ai mené une politique de la ville qui a été l'une des meilleures des vingt dernières années, avec notamment les zones franches urbaines. Enfin, contrairement à ce que j'entends dire, je n'ai pas reculé sur la réforme de l'assurance-maladie. La seule réforme que j'ai retirée, c'est celle des régimes spéciaux de retraite ! » Il asséna cela comme on se défendrait contre une injustice. Et de poursuivre : « Au total, j'ai le sentiment qu'on a fait des réformes qui ont été tout à fait utiles et positives. L'Éducation nationale est le seul domaine dans lequel on n'a pas été très performants. Parce que j'avais un ministre très prudent… » Une pierre dans le jardin de son copain François Bayrou.

Juppé eut beau sortir en lambeaux de cette aventure, il en garda une certaine nostalgie : « Matignon, c'est un poste épouvantable parce qu'on en prend plein la gueule matin, midi et soir. Mais en même temps, il y a quelque chose d'extraordinairement passionnant dans le fait d'être au sommet d'une immense chaîne de décisions ! » Pour un peu, le souvenir de ce plaisir lui ferait reconsidérer son échec. À moins que le supplice du procès ne lui ait permis d'occulter cette meurtrissure.

Quand l'orgueil vous enserre le cerveau...

Pas une fois, pas un instant Alain Juppé ne s'est dit que c'était sa faute. Pendant toutes ces années où il a craint d'être passé à côté de son destin politique, il n'a eu de cesse de se considérer comme la victime d'une conjuration de médiocres, d'obséquieux et de jaloux. De ronchonner contre les pleutres, contre les traîtres, contre les hypocrites, contre les journalistes, ces plumitifs assoiffés de sang qui voulaient sa mort. Contre le sort. Contre Chirac, ce faiseur de roi qui prétendait le distinguer comme son héritier quand il n'a jamais fait que se servir de lui. Le seul qui n'aurait pas participé au complot contre Juppé serait Juppé lui-même.

Mais attention, il ne fut victime que parce qu'il l'a bien voulu. Parce qu'il a accepté de payer pour les autres. Parce qu'il « ne mange pas de ce pain-là », comme il dit. Parce qu'il n'a pas

« voulu se compromettre ». Victime, donc, mais en conscience. La conscience de sa supériorité.

Les fautifs, ce sont les autres. Il a écrit l'inverse, notez. Le 9 janvier 2007, il a mis en ligne sur son blog un texte intitulé : « Pourquoi je soutiens Nicolas Sarkozy. » On peut y lire cette phrase : « Écarté, par ma faute, des premiers rôles de la scène politique nationale depuis plusieurs années, je ne me sens pas en situation de me lancer dans la compétition avec quelque chance de victoire. »

« Par ma faute », vous avez bien lu. Une expression plus que suspecte sous sa plume. Car il n'en pense pas un mot. Une pure antiphrase. À l'époque, les commentateurs n'ont pas accordé l'attention qu'ils méritaient à ces trois petits mots aussi masochistes qu'arrogants. Le disiez-vous alors à Juppé qu'il ne niait pas. « C'est une espèce de provocation un peu perverse... », convenait-il en souriant. Et si vous lui faisiez remarquer que cette antiphrase ne serait compréhensible que par de rares initiés, il haussait les épaules et faisait entendre un rire jaune : « Tant pis ! »

Il planque son besoin de reconnaissance derrière des discours encodés. Dans *France, mon pays : lettres d'un voyageur*, le livre qu'il a publié en novembre 2006, à son retour d'exil, il établit un tableau où l'on pouvait voir que ce fut entre 1995 et 1997 que la dette publique fut la moins élevée. Il ne s'abaissa pas à préciser qu'il était alors Premier ministre et que grâce devait lui en être rendue. Cela allait sans dire. « Tous les lecteurs qui connaissent un peu leur histoire feront le lien, non ? assurait-il à ce moment-là. Je préfère que les gens, spontanément, reconnaissent mes mérites plutôt que de me vendre. »

Or, à l'époque, ils étaient fort peu nombreux à lui savoir gré de ses « mérites »... Il ne lui restait plus que ça, son orgueil, cet orgueil chéri, tranchant et fortifié. Une arme qu'il a retournée contre lui. Mais chut, il n'en voulut rien savoir. Toujours il a préféré s'enorgueillir d'être orgueilleux. Écoutons-le rugir : « Je suis orgueilleux mais je ne suis ni prétentieux ni vaniteux, et c'est très différent. Je n'ai jamais fait de drame parce que, sur un carton d'invitation, mon nom n'était pas à la bonne taille. Jamais. Je suis au-dessus de ça. Je m'en fous éperdument. J'estime que ma valeur s'impose sans ces petites bricoles. » Et quand on le provoquait, il s'exclamait : « Des gens intelligents, brillants, clairs, méthodiques et ordonnés : il n'y en a pas beaucoup, il y a moi et c'est pratiquement tout. C'est ça que vous voulez me faire dire ? Vous y êtes arrivée. Le pire, c'est que je le pense. » Et de rire.

Juppé n'a jamais supporté d'être contesté. Quand, quelques semaines avant la dissolution de 1997, Jean-Louis Debré, alors ministre de l'Intérieur, s'en vint le voir à Matignon, Juppé l'accueillit presque aimablement : « Alors, qu'est-ce que tu as à me dire ? Chirac m'a dit que tu disais des choses intéressantes. » Debré fit trois phrases un peu critiques. « Juppé est entré dans une colère telle que j'ai quitté son bureau » – dixit Debré.

Quand Juppé change d'avis, il ne l'admet pas. Ce serait déchoir. « En tête-à-tête, il m'explique pourquoi j'ai tort, et ensuite il reprend publiquement mon idée sans me le dire, racontait, amusé, l'un de ses proches. Il sait qu'il est de mauvaise foi, mais jamais il ne le reconnaîtra. »

Il n'avoue pas davantage ses erreurs. Lors de nos nombreux entretiens, il n'a concédé qu'une « erreur » politique. « J'ai fait une erreur en 1997 », commença-t-il. Tandis qu'il se raclait la gorge, on anticipait un mea culpa sur la raideur. Que nenni ! « J'aurais dû garder la présidence du RPR après la défaite aux législatives. Chirac me l'avait dit, pourtant : "Il n'y a aucune raison que vous démissionniez ! Moi, quand j'ai perdu en 1988, je suis resté à la tête du parti." Si je l'avais écouté, le cours des événements en aurait peut-être été changé. » Aux yeux de Juppé, cette erreur-là n'est pas déshonorante, puisqu'elle relève du péché d'orgueil. Il n'y a pas de honte à être trop orgueilleux, pense-t-il. Au contraire...

Chez Juppé, l'orgueil écrase l'ambition. Ce n'est pas si courant, dans le monde politique. C'est même très atypique. « Sarkozy n'est pas un orgueilleux, relevait Juppé ces dernières années. C'est un ambitieux, ce n'est pas tout à fait pareil. Le véritable orgueil a quelque chose de paralysant. » Décodage : l'ambitieux, d'une mobilité et d'une plasticité à toute épreuve, ne recule devant aucune audace pour parvenir à ses fins ; l'orgueilleux est entravé par la hantise d'abîmer l'image qu'il se fait de lui-même. « Je n'ai pas suffisamment forcé le destin, dans ma vie. Pas assez. Il y a des moments où il faut être là, où il faut s'imposer. C'est la qualité première de Sarkozy, ça. Moi, par une forme de nonchalance qui est aussi une forme d'orgueil, j'ai un peu trop tendance à regarder, à ce moment-là. »

Des mots lucides, très. Et qui prennent un sens puissant, aujourd'hui. Juppé a-t-il vaincu sa « tendance à regarder » ?

Si Sarkozy n'a pas de surmoi, Juppé a toujours été l'esclave du sien. De là sa bien nommée psychorigidité. « Paralysant », m'a dit l'homme à la raideur légendaire en guise d'autojustification. Le même ne s'est pourtant pas trouvé paralysé du poignet quand il s'est agi d'oser écrire, en page 235 de *La Tentation de Venise* : « Mon ego est en pleine turgescence. » C'est donc que, sur du papier, il sait

ne pas se complaire dans cette « forme de nonchalance » dont il parlait. Sur du papier, il sait forcer
le destin. Mais dans la vie, et d'abord dans la pire
d'entre elles, la vie politique ?

À cet instant, il faut se risquer à quelques lignes
de politique-fiction. Si Juppé sortait défait de la
primaire et qu'il était convaincu de l'insincérité du
scrutin, saurait-il museler un tantinet son orgueil et
hurler à la tricherie ou serait-il paralysé par l'idée
– humiliante – d'être pris pour un mauvais perdant ?

« Il y a des moments où il faut s'imposer », il a
dit. Mais ne l'a jamais fait, jusqu'ici. Il eut quelques
belles occasions, pourtant. Et pas seulement en
2010 quand il a consenti à venir sauver Sarkozy
et qu'il a, deux ans durant, poussé la loyauté
jusqu'au bout. Au point de conseiller à « Nicolas », au soir du 6 mai 2012, d'enlever de son discours de défaite les mots définitifs par lesquels il
se retirait explicitement de la vie politique ! Seule
une paire d'hommes, parmi ceux qui entouraient
Sarkozy ce soir-là, le mirent en garde contre « des
phrases qui insultaient l'avenir » : Alain Juppé et
Patrick Buisson. Ce fut du reste l'unique fois en
deux ans où ces deux-là – qui éprouvaient l'un
pour l'autre une répugnance épidermique, idéologique et politique – prirent le même parti. Celui,
en l'occurrence, de donner à Sarkozy la possibilité

de... revenir ! Du côté de Buisson, on comprend ! Mais côté Juppé, quelle idée ? Il est des moments où il faut penser à soi et à son intérêt... « Des moments où il faut s'imposer », a donc dit notre sujet, qui n'a pas son pareil pour tourner la tête de l'autre côté, quand arrivent lesdits moments... Son orgueil lui enserre tellement le cerveau... Il sait qu'il faudrait agir, mais il n'a pas vraiment envie de s'abaisser à provoquer les choses... Parce qu'il le vit comme ça : comme un abaissement. Est-il besoin de s'imposer quand il y a davantage de hauteur à attendre que tout vous tombe tout cuit dans la bouche ? Las, en politique, il n'en est jamais ainsi. Sarkozy le sait mieux que bien, qui toujours martèle : « On ne vous donne rien, il faut prendre. » Juppé ne sait pas « prendre. » C'est ce qui a décidé Eric Woerth, qui fut longtemps jup-péiste, à soutenir Nicolas Sarkozy dans la bataille pour la primaire. « Alain a envie si on a envie pour lui, témoigne Woerth. J'étais allé le voir pour qu'il soit candidat à la présidence de l'UMP, en 2012. C'était ni oui ni non. Il veut qu'on lui mâche le travail. »

Juppé ne se risquera pas là-dedans. Et pas dans la suite non plus. Après l'élection ratée-truquée du 18 novembre 2012 et la guerre Fillon-Copé qui s'ensuivit, alors que sa famille politique l'implorait de jouer les modérateurs – donc possiblement les sauveurs ! –, il passa à côté de l'histoire. Souvenez-vous : il s'était fait un peu prier puis avait accepté de tenter une médiation à la condition expresse que les deux ennemis se soumettent à ses exigences, dûment listées lors d'une conférence de presse le vendredi 23 novembre, à Bordeaux. Au terme de laquelle il déclara : « Si on n'arrive pas à un accord, on n'arrive pas à un accord. Et si M. Fillon et M. Copé ne sont pas disponibles (pour me rencontrer) avant dimanche, j'en tirerai les conclusions. » Dit autrement : je me retirerai. C'est peu de dire qu'il n'y croyait pas. Il n'arrivait pas dans le jeu tel un chevalier blanc qui se serait fait fort de régler le contentieux à son profit, comme il se doit, dût-il en passer par les armes ! Non, il se présentait comme un « malgré lui » voulant convaincre les deux parties par la seule raison claironnée. Juppé n'est jamais prêt à tout. C'est ce qui fait son charme. Et sa limite. Comment voulez-vous vous « imposer » quand vous vous avouez défaitiste sur les ondes, le matin même (25 novembre) de la rencontre que vous avez provoquée – et allez arbitrer – entre Fillon et Copé : « J'ai très peu de chances de réussir » ? Le soir, à 19 h 54, le défaitiste était défait et postait ce tweet tristement orgueilleux : « Les conditions de ma médiation ne sont pas réunies. Ma mission est achevée. » Alors même que, s'il avait eu un peu de niaque, de tact et de tactique, le parti se serait donné à lui. Il fallait faire un gentil hold-up, au nom de l'éthique politique, et le tour était joué. C'était pour la bonne cause, qui plus est : le sauvetage de sa famille politique. Mais, comme dans tout combat, il eût fallu prendre le risque de perdre. Et de faire mal à Monsieur Orgueil. Or, chez Juppé, c'est ce dernier qui commande. Saura-t-il le faire (un peu) taire ?

Joli cœur !

Alain Juppé est plus à l'aise avec les femmes. Pas seulement les mamies dans les maisons de retraite avec lesquelles il danse pendant cette campagne. Toutes les femmes. Il préfère leur compagnie à celle des hommes. Avec elles, pas de compétition, pas de rivalité, pas de concours d'autorité. Il peut baisser – un peu – la garde. Se plaindre. Se confier. Faire le joli cœur. Non sans un certain succès. C'était vrai bien avant qu'il ne soit regardé comme le futur président de la République. Sa raideur et même sa gaucherie ont toujours attendri ces dames. Il aime se faire materner. Minauder, aussi. Ces dernières années, souvent il caresse son crâne chauve en vous parlant d'implants, rit un peu, « les implants de barbe, je n'en ai pas besoin, c'est fou comme ça pousse, c'est tout blanc, si vous saviez ! Je devrais arrêter de me raser, je ressemblerai à un sage. Mais je ne veux pas être un sage ! » Il faut le voir creuser ses fossettes et se définir comme « un petit cœur sensible ». Pareille définition ferait hurler Philippe de Villiers : « Au départ, il y a chez Juppé une erreur de la nature. Il lui manque un organe : le cœur. Et il en a un de trop : il a deux cerveaux, a coutume de cingler le Vendéen. Sarkozy est cynique mais au moins il fait le boulot. Il appelle les gens. Juppé non ! Il ne téléphone que pour avoir une note ou pour demander un service. Et il considère qu'il condescend. Qu'il descend vers les cons. »

Juppé n'a pas son pareil pour écorcher l'estime de soi de son interlocuteur. Son sixième sens à lui, c'est de poser d'emblée la question qui tue. De prononcer les mots qui feront le plus mal. « Il n'y a pas de débat ! » a-t-il cinglé Laurent Wauquiez devant tous les ténors de l'UMP en ce printemps 2014 où le député de Haute-Loire s'évertuait précisément à en provoquer un, de débat, un énoooooorme, espérait-il, *via* son livre-plaidoyer pour un retour à l'Europe des 6. Comment pardonner à quelqu'un qui vous a traité comme un morveux alors même que vous tentiez d'accomplir une mue politique ? « Juppé appartient, au côté de Valéry Giscard d'Estaing, à la catégorie des intelligents arrogants », estime depuis Wauquiez. Ce qui est sûr, c'est que le maire de Bordeaux a le don de ciseler les deux ou trois sentences mortifiantes qui vous entaillent le cœur. « Il a un problème avec les gens : sans même s'en rendre compte, il va dire à quelqu'un ce qui va le vexer au plus haut point », m'exposa Philippe Douste-Blazy. Des témoignages semblables, j'en ai recueilli des centaines. Mais celui qui a eu la phrase la plus éloquente sur Juppé, c'est... Nicolas Sarkozy. « Alain est le seul homme qui m'ait jamais fait pleurer. » C'est ce qu'il confia jadis à Christine, la première épouse de Juppé. Mieux qu'un brevet : un certificat de dureté décerné par un expert en brutalité. « Son intelligence est coupante comme un rasoir, attestait Christine devant moi. C'est très, très dur. C'est "Monsieur je sais tout" et "Monsieur j'ai forcément raison". Je n'osais pas polémiquer avec lui. Je savais qu'il me tuait chaque fois. » Parole d'ex-femme devenue une amie.

Juppé est capable d'asséner dans un faux sourire, lors de son procès, pour prouver qu'il n'avait jamais interrogé Claude Le Corff, son assistante personnelle au secrétariat général du RPR, sur l'origine de sa rémunération : « C'est la réalité. C'est peut-être une de mes faiblesses. On me le reproche parfois, mais je n'accorde pas une grande importance aux relations personnelles. » Cette phrase restera dans les annales de l'histoire politique. Ils sont nombreux, ceux qui, à l'instar de Jean de Boishue, l'ancien conseiller de François Fillon à Matignon, ne sauraient oublier « cette forme d'inhumanité extraordinaire », selon l'expression de celui qui fut ministre de l'Enseignement supérieur dans le premier gouvernement Juppé, avant d'en être viré six mois plus tard. À jamais Boishue sera catégorique : « Ce type est totalement indifférent. »

Tout dépend à quoi. Pas à la musique… Depuis ce jour de ses dix ans où Mme Dulong, l'institutrice qui s'était entichée de lui et venait à la maison lui donner des cours de perfectionnement scolaire, avait convaincu ses parents de lui acheter un tourne-disque Teppaz et lui avait offert son premier disque, *La Mer* de Debussy, il n'a plus cessé d'écouter de la musique. « Tout le temps, tout le temps, tout le temps, en travaillant, en me détendant. J'ai eu des passions successives : d'abord, c'était Beethoven, puis Bach, puis Mozart. Beaucoup de musique religieuse, aussi, souvent des requiems. Et aussi la musique romantique : Berlioz et tout ça. » Mais lui-même n'a pris des cours ni de solfège ni de piano, contrairement à sa sœur. Sa mère ne voulait pas risquer de le voir se détourner des travaux intellectuels. Il regrette cette « erreur d'éducation ». Sa grande distraction, le samedi à Mont-de-Marsan, c'était d'aller chez le marchand de disques. Il passait des heures à fouiller dans les bacs. « J'étais absolument fou de musique. » Là, l'excès, même sémantique, est autorisé. « Absolument fou », a dit Juppé. Disparue, la modération ! Le temps d'un morceau...

Un jour, j'ai vu ses yeux se mouiller quand il se mit à fredonner les premières notes de son aria préférée de la *Passion selon saint Matthieu*. Bach lui tire des larmes, à Juppé. De vraies larmes. La dernière scène de *Don Juan*, c'est pire encore : l'eau monte, quand il commence à la chanter. À chanter, oui.

Juppé a érigé la musique en fil rouge de sa sensibilité. Il me raconta d'une voix vibrante comment, quand il avait « quinze ou seize ans », dans sa petite chambre de Mont-de-Marsan, au soir, à la bougie, il mettait « (s)on Beethoven favori », s'assurait que l'« espèce d'opaline noire » qui se trouvait sur son bureau reflétait convenablement la lumière de la lune et des étoiles, et écrivait là des « lettres enflammées » – c'est lui qui le dit.

Le lyrisme, pourtant, n'a de toute façon jamais été son fort. Toujours il l'a laissé à son ennemi Philippe Séguin, cette « outre gonflée de vent » – ainsi que Juppé le désignait jadis. Quand Chirac s'avisait d'évoquer le « souffle » des discours de l'élu d'Épinal, Juppé s'irritait : « Ce n'est pas du souffle, c'est de l'air ! » Ça, en tout cas, c'est une belle soufflante...

« Je n'aime pas l'emphase, les grandes envolées. Je trouve ça ridicule, Grand-Guignol », m'exposait Juppé. Il a un visage de héros tragique mais ne le sait pas. Pour un peu, il se préférerait en « colin froid », en « casque à boulons », en « monstre rigide » qu'en héros tragique. Il a l'habitude. « Juppé, on le met dans telle case », récitait-il, fataliste, à la troisième personne du singulier, quelques semaines après sa défaite aux législatives de juin 2007. « C'est comme ça, il est étiqueté arrogant, sec, froid, etc. Techno. Droit dans ses bottes, voilà. » Retour à la première personne du singulier : « J'ai renoncé à m'occuper de mon image. Elle est ce qu'elle est. Basta ! » Il a le chic pour les accès de froideur excédée qui congèlent son interlocuteur. « Ne fais pas ta bouche en cul-de-poule ! » le chapitrait souvent sa maman qui, elle, n'a jamais eu peur de lui. C'est bien la seule.

La « connerie » de Juppé

« Il faut déblayer avant de les trouver, mais la gentillesse et l'humanité sont là, m'a juré Christine, la première épouse d'Alain Juppé. Ce qui est impossible pour lui, c'est de se mettre à la place de l'autre. Il n'a pas d'intuition. Ce n'est pas de la méchanceté, c'est de la connerie. Oui, de la connerie ! C'est quelque chose de difficile à comprendre, cette bêtise en face de cette intelligence fulgurante. Ce truc, c'est le talon d'Achille d'Alain. »

Ce « truc » a coûté cher à Valéry Giscard d'Estaing, l'autre grand dignitaire de cette caste des plus brillants cerveaux. « Mais attention, tint à préciser un ancien collaborateur de Juppé, Giscard est vraiment un type sans cœur infatué de lui-même. Pas Juppé, qui est tout sauf un homme méchant. C'est avant tout un être incapable de se laisser aller à prononcer les mots inutiles qui vous rendent aimable aux autres ! » Il avait pourtant en Chirac le meilleur des professeurs d'empathie. Que n'en a-t-il pris de la graine ? Chirac était le premier à s'en désespérer.

« Souriez, mon petit Alain ! » le chapitrait-il incessamment.

L'autre grommelait :

« Le plus important, c'est de travailler, non ? »

« Juppé n'était pas fait pour être un homme politique », a tranché Corinne Lepage, qui fut sa ministre de 1995 à 1997 – elle ne fit pas partie de la charrette des « Juppettes ». Faire de la politique, c'est faire croire aux gens que vous vous intéressez à eux, que vous les aimez. Juppé ne fait même pas semblant. « Ce n'est pas un mec sympa, poursuit Lepage, il a un tel manque de commisération... »

Ils ne sont pas nombreux, ceux qui, à l'instar de Michou, le très maniéré tenancier du cabaret éponyme, à Paris, dans le XVIIIᵉ arrondissement, osent lui claquer la bise. « C'est un mec gentil qui a des difficultés de contact. »

Son infirmité – car c'en est une –, c'est moins d'être cet homme trop rationnel jadis surnommé « Amstrad » par ses collaborateurs – du nom de l'un des premiers micro-ordinateurs français – que d'être cet individu dénué de tout sens de la psychologie. Surtout celle de l'autre. On ne peut rien comprendre de Juppé si l'on ne perçoit pas combien sa sensibilité – il n'en manque pas... – est incroyablement égocentrée. Jugez plutôt : quand il est Premier ministre, qu'il marche dans la rue et qu'une femme se met à hurler « Mort au con », il se sent visé *intuitu personae*. Il ira jusqu'à répondre à ce cri par un petit livre, *Entre nous*[1]. Il est tellement égocentrique que pas un instant il n'a pensé que l'insulte pouvait être générique et plurielle : « Mort aux cons. »

Il n'a bien sûr pas changé... Certes, il a pris en lucidité, au point d'être désormais capable de disserter sur les limites politiques de l'intelligence. J'ai été très étonnée quand, après qu'elle a échoué à conquérir Paris au printemps 2014, il m'a expliqué que Nathalie Kosciusko-Morizet était « intelligente et belle, mais trop cérébrale, trop intellectuelle. Et c'est moi qui dis ça ! ». Il a gagné en clairvoyance, avec l'âge, notre Juppé. Mais c'est tout. Pas plus qu'avant il ne va serrer les mains jusque dans les coins ; pas plus qu'avant il ne se précipite pour embrasser ceux qui lui tendent leurs joues.

Ce qui a changé, depuis deux ans, ce n'est pas lui, ce sont les autres. Les gens qui vont vers lui. Et ça lui procure un tel plaisir, une telle griserie, que ses mâchoires se décrispent et que son sourire s'autorise l'audace de répondre à l'amour des

---

1. Alain Juppé, *Entre nous*, NiL éditions, 1996.

autres. La métamorphose s'est opérée en direct le 2 octobre 2014 sur le plateau de David Pujadas, à la fin de l'émission *Des paroles et des actes*, sur France 2 : il y eut ce « moment de télévision », comme disent les spécialistes en communication, où les yeux de Juppé prirent l'eau tandis qu'il s'avouait touché, « un peu », a précisé à Pujadas le plus pudique d'entre eux avec un air qui signait la litote et montrait l'étendue de l'émotion – tout ça parce qu'une enquête d'opinion réalisée au cours de l'émission venait de révéler qu'il avait convaincu les téléspectateurs. Il n'en fallait pas davantage pour faire pleurer le « pic à glace » ! C'est donc qu'il était facile à faire fondre…

Disons-le tout net : ni le Juppé d'hier ni celui d'aujourd'hui – qui sont les mêmes ! – ne manque de cœur. Seulement de générosité. Gérard Longuet, qui a pour l'ancien Premier ministre quelque affection, a ciselé une formule très juste : « Alain n'a pas le chemin du cœur pour les autres. » Mais pour lui-même, il l'a trouvé, le chemin. Il se sent aimé. Il n'en demande pas davantage. C'est tout le problème, d'ailleurs.

La haine des « voleurs de temps »

Ce sentiment s'est aggravé avec les années : Alain Juppé n'a pas de temps à perdre. Ça peut paraître bête – et à de nombreux égards, ça l'est – mais cette pensée est importante pour lui, très. Structurante. Même quand il n'était plus rien qu'un exilé, à Montréal, et qu'il avait deux fois trois heures de cours à donner par semaine, il se levait d'un bond avec l'air affairé sitôt qu'était outrepassé le temps auquel, à son idée, vous aviez droit. Surtout, ne jamais donner le sentiment d'avoir tout son temps. S'attarder, c'est déchoir, n'avoir pas la maîtrise de soi-même et de son existence. Juppé a besoin de considérer que son temps est précieux et qu'il n'a pas une seconde à perdre – rien ne l'effraie plus que le temps qui se perd, la vie qui n'est pas « organisée », comme il dit. Dans sa bouche, organiser, c'est minuter. D'où la nécessité de borner – à la minute près – le temps qu'il vous a dévolu, même quand rien ne l'attend derrière... Aussi la vie de ministre lui a-t-elle convenu plus que parfaitement : chacune de ses minutes était comptée, et c'est ainsi qu'il est heureux. Et de se dédouaner de son manque de disponibilité par une de ces formules fatalistes qui lui servent de paravent : « Impossible de donner à tous ceux qui vous demandent un entretien le sentiment que vous leur consacrez tout le temps qui est nécessaire. En tout cas, moi, je ne sais pas faire. » Et il n'est pas désireux d'apprendre.

La plupart de ceux qui ont travaillé à ses côtés ont essayé sinon de le changer, du moins de le convaincre d'être un peu plus souple. En vain. Est-ce un hasard si, dans la palpitante fiction politique qu'ils ont publiée[1], deux de ses proches, Gilles Boyer et Édouard Philippe, écrivent : « L'homme politique ponctuel inquiète. On y voit la marque de la trop grande organisation d'un esprit forcément inhumain, le côté abrupt de ceux qui, concluant trop vite une conversation, n'aiment pas vraiment l'électeur. (...) En politique, donner l'impression que l'on sait prendre son temps, alors qu'il s'agit au fond de le perdre, est un art consommé et une

---

1. Gilles Boyer et Édouard Philippe, *Dans l'ombre*, JC Lattès, 2011.

pratique nécessaire » ? Pour conseiller un homme incapable de s'y résoudre, les deux auteurs savent de quoi ils parlent... Combien de fois ont-ils vu « le boss » poser sa montre sur son bureau au début de ses rendez-vous !

Une seule fois dans sa vie, Juppé s'est troqué sa chère montre-bracelet contre une montre-gousset offerte par sa femme Isabelle. C'était à l'automne 2006, lors de son retour à Bordeaux après l'exil à Montréal, quand il a provoqué des élections municipales anticipées et qu'il s'est agi de reconquérir « sa » ville. L'enjeu méritait ce sacrifice. Le temps de la campagne...

« Je ne sais pas pourquoi on me fait ce reproche de regarder ma montre, tous les gens bien élevés regardent leur montre...

– Sans le montrer...

– Ça, c'est du baratin : pour la voir, il faut la regarder ! »

Quand il était Premier ministre et dirigeait des séminaires gouvernementaux, « ça durait cinquante-cinq minutes. Une minute trente par tête de pipe, se rappelle Corinne Lepage. Et malgré ça, il avait l'air de s'ennuyer, il regardait sa montre ».

Il fallait l'entendre pester contre les gens qui « n'ont aucun respect du temps de l'autre ». « Quand on me dit : "J'ai besoin d'un quart d'heure", je demande à ma secrétaire de donner un quart d'heure. Mais quand les gens arrivent, ils s'installent, ils racontent leur vie, et chaque fois ça devient une demi-heure, trois quarts d'heure ! » La vérité, c'est que Juppé ne les laissait pas aller jusque-là : lorsqu'il avait accordé une audience de quinze minutes, au bout de douze minutes il tapotait sur la table en signe d'impatience, et à la quatorzième minute, il congédiait brutalement : « Bon allez, on m'attend. » Il ne voyait pas le mal. Cette discipline-là, il se l'est toujours imposée à lui-même. Quand il disait à Chirac : « J'ai besoin de vous voir un quart d'heure », il s'en tenait au temps imparti, et ça lui suffisait. « Je veux bien admettre que ce soit perçu comme une forme de rigorisme, mais pour moi c'est avant tout de l'efficacité », plaide-t-il.

Au téléphone, il n'est pas plus flexible. « Quand j'accepte de donner une interview de deux minutes parce que le journaliste a demandé deux minutes, mais qu'au bout de vingt minutes il a encore des questions à poser, je le lui dis : "C'était deux minutes. J'ai un autre rendez-vous." » Il pourrait en parler des heures, Juppé, de tous ces gens qui ont l'outrecuidance de lui voler son temps. De tous ces voleurs de temps…

Mais attention, ce n'est pas parce que partout, tout le temps, il a du mal à quitter sa montre des yeux plus de quelques minutes que Juppé voit le temps qui passe. Il fallait observer le smoking très années 80 qu'il a ressorti pour venir, le 19 novembre 2014, recevoir au musée d'Orsay le prix de l'homme politique de l'année – que lui a décerné le mensuel branché *GQ*. Alors que tous les autres lauréats (Omar Sy, Gilles Bouleau, Alexandre Bompard, Mads Mikkelsen, etc.) primés par le magazine branché arboraient un costume slim dernier cri, Juppé, lui, a ressorti un habit de soirée à la coupe large et croisée. Le nec plus ultra... il y a vingt ans. Comme quoi : l'obsession du temps ne vous mithridatise pas contre le sentiment d'avoir, toujours et pour toujours, quarante-cinq ans.

Maman parapluie

Quand ce n'était à coups de parapluie, c'était avec une « bonne taloche » qu'elle lui faisait passer l'envie de ne pas avoir la meilleure note. Les soirs où il n'était « que » second, le jeune Alain Juppé effectuait « de longs détours avant de rentrer à la maison, par crainte, dit-il, d'une engueulade un peu dure. Maman partait du principe que j'avais les capacités d'être le premier et que si je ne l'étais pas, c'est que je ne le voulais pas ». Le jour de cette réminiscence enfantine, Alain Juppé avait soixante et un ans et sa mère était morte deux ans plus tôt. « Il y avait même un martinet, dans la souillarde, poursuivit-il. J'ai le souvenir d'avoir reçu des coups de martinet sur les mollets. » La bouche de l'ancien Premier ministre se tord comme celle d'un garçonnet saisi de culpabilité. « Je ne sais pas pourquoi je vous raconte ça. »

On n'en demandait pas tant. On voulait simplement l'entendre parler de sa mère. « Une très, très, très forte personnalité », martela-t-il. Trois fois « très ». Un superlatif absolu au cube. Dans la bouche d'un homme comme Juppé, perpétuellement porté sur la litote, c'est un hommage immodéré à celle qui l'adulait, et à qui il le rendait bien. « Certains doivent tuer le père. Moi, c'est plutôt la mère qu'il fallait que je tue », précisait-il dans un sourire triste. Y est-il jamais parvenu ? « Le jour de sa mort. Et encore... Même dans les derniers mois de sa vie, chaque fois que je faisais quelque chose ou qu'il m'arrivait quelque chose, je me demandais : "Qu'est-ce qu'elle va en penser ?", "Qu'est-ce qu'elle va en dire ?", "Est-ce que ça va lui faire du mal ?" »

Les « derniers mois » de la mère, justement, furent les plus douloureux de la vie politique du fils : il comparaissait devant le tribunal de Nanterre. Marie Juppé est morte quelques semaines avant la condamnation de sa progéniture à dix-huit mois de prison avec sursis et dix ans d'inéligibilité. Toujours elle lui avait dit : « Tu es le meilleur, tu dois réussir. » Quand il a chuté, elle n'était plus là pour le voir.

Une double peine, pour lui. Un soulagement, aussi. « Ç'aurait été terrible pour elle. » Déjà qu'il n'en fallait pas beaucoup à cette mama pour considérer que son garçon était injustement attaqué... Elle avait été « profondément indisposée » – dixit son fils – quand, le 6 mai 1988, lors d'une réunion publique à Mont-de-Marsan, ville de naissance de Juppé, Philippe de Villiers avait eu l'outrecuidance de se montrer meilleur tribun que Juppé. « Quand on vient chez quelqu'un, on n'est pas plus brillant que lui ! », s'indignera-t-elle devant son fils.

Elle était fière qu'il fasse de la politique, fière d'entendre scander et applaudir son nom dans les meetings – depuis la première campagne électorale de Juppé en 1978 et jusqu'à la mort de son mari, en 1998, elle n'en manquait pas un, assise au premier rang. « Mais en même temps, elle trouvait que la politique, c'était beaucoup de coups fourrés et de méchanceté. Elle ne supportait absolument pas les critiques dont j'étais l'objet. Pour elle, j'étais tellement bon que c'était forcément injuste. Nul n'avait le droit de m'attaquer. »

Le 11 février 1990, elle s'était rongé les sangs, au Bourget, pendant les Assises nationales du RPR où Charles Pasqua et Philippe Séguin s'étaient « acoquinés » pour mener l'offensive contre Juppé. « Mon fils doit gagner, c'est le meilleur de tous ! Il ne faut pas l'embêter, hein ! » avait-elle déclaré à Claude Roland – cet ami de Juppé que le secrétaire général du parti avait chargé de veiller sur ses parents pendant le déjeuner. « Alain est le meilleur de tous ! » répétait-elle. Où l'on constate que Chirac n'a rien inventé... D'ailleurs il aimait beaucoup Maman Juppé.

Laquelle n'a jamais hésité à dire ce qu'elle pensait et ressentait. « Elle a toujours eu un grand sens de la mise en scène de ses émotions », commente Juppé. Ce n'est pas pour rien que son mari la surnommait la « tragediante ». « Maman était très portée aux larmes. Elle pleurait beaucoup. De bonheur, de malheur, d'inquiétude. » Elle pleurait lors des séparations déchirantes à l'aéroport de Beauvais, quand le jeune Alain – une douzaine d'années – embarqua pour son premier séjour en Angleterre ; elle pleurait sur le quai de la gare quand, à quinze ans, il partit vers la Grèce, le fameux voyage où il rencontra Christine, sa première épouse. Lui demanda-t-on s'il participait à ces mélodrames familiaux qu'il s'étonna presque de cette question farfelue : « Mais non, pas du tout ! Ça m'énervait. Ça me pesait. Je n'aimais pas la théâtralisation. Non, je crois que j'étais un enfant normal. » L'adjectif est lâché. « Normal. » Devant les débordements et les emportements de la passion maternelle, Juppé fils s'est agrippé aux rochers de la normalité. De ce qu'il a pris pour tel. La normalité versus la tragédie. L'alternative est pour le moins rigidissime. Maman s'enflammait à la moindre émotion ; fiston se pétrifiera dans l'esprit de modération. Il le dit sobrement, comme tout, comme toujours : « Je n'ai pas cet aspect expansif qu'elle avait. »

Maman Juppé est une mère supérieure qui avait décrété que rien ne devait distraire du travail scolaire le plus prometteur de ses enfants. Elle qui n'avait pas fait d'études, avait destiné son Alain à elles seules. Pas de piano, contrairement à son frère et ses deux sœurs, et pas davantage de sport. La maladie non plus ne devait pas le détourner de l'effort intellectuel. Aussi obligeait-elle son fils de quinze ans à mettre des socquettes dans ses sandales en plein mois d'août.

« Juppé, c'est une plante élevée sous serre », affirmera Lionel Jospin. L'intéressé, de son côté, estime « avoir eu du mérite » : « Je ne dirai pas que ça m'a traumatisé, parce que je ne crois pas être psychotique, mais enfin, c'étaient des conditions dures. Tout ça aurait pu mal tourner, j'aurais pu étouffer dans ce milieu montois. Ma grande chance a été de quitter la maison à seize ans. Je me suis retrouvé à Paris. J'ai basculé dans un autre monde. Un monde de grande liberté. »

Bien sûr, sa mère aurait préféré qu'il fît ses études à Bordeaux, comme ses autres enfants, mais bon, si c'était utile, si c'était bon pour l'avenir du fils prodige… Elle ouvrit la cage. Elle continuait de s'inquiéter, lui téléphonait, venait le voir très souvent, mais son amour était *de facto* moins oppressant. Ce n'était pas de l'amour tout court, notez. C'était « beaucoup, beaucoup d'amour », selon le fils. Dans la bouche de Juppé, quand il s'agit de sa mère, les mots qui disent l'amour se doublent et se dédoublent. Comme s'il voulait que l'on sache que, même adulte, il se mettait dans le giron de la « Tsarine » – ainsi qu'ils l'appelaient, dans la famille – et qu'elle le câlinait.

Jamais il ne s'est rebellé contre son affection tyrannique. Il a interdit à ses épouses de le faire. Au nom de ce parti pris irrévocable : « Aucune de mes femmes ne me fâchera avec ma mère. » La méfiance de cette dernière vis-à-vis des « pièces rapportées » – son expression à elle – ne facilitait pas les choses. Avec Christine, notamment, il y eut des moments épiques. « Maman avait des idées très arrêtées sur ce qu'il fallait faire pour l'éducation de nos enfants, se souvient Juppé. Et naturellement, à ses yeux, une jeune femme moderne comme Christine n'y connaissait rien. Un jour, on était en Espagne, Laurent avait une dysenterie. Christine incriminait l'hygiène approximative du pays. Pour maman, c'était parce que sa jeune mère inexpérimentée n'était pas capable de nourrir correctement le bébé. Il a fallu que j'intervienne physiquement pour séparer les combattantes ! » Il en riait, des années après. Il riait d'avoir été cet homme sommé de départager les femmes de sa vie et qui jamais n'a déjugé sa mère. Il riait du fils à sa maman qu'il avait été. Qu'il serait toujours. « Ah ! Ma maman ! s'exclama-t-il. Une maîtresse femme ! » Il aimerait qu'elle soit encore là pour le voir. Surtout aujourd'hui. Car c'est aussi elle qu'il veut venger. Elle et les espoirs qu'elle avait mis en lui.

Papa silence

« Tais-toi, Robert ! » Toujours la mère d'Alain Juppé réduisait son père au silence. Celle qui parlait, c'était elle. Et qu'est-ce qu'elle parlait, quand son garçon était là ! « Maman avait une telle personnalité que ce n'était pas facile d'exister sous sa lumière », dira son fils. « Le père était dans l'ombre, rapporte Christine, la première épouse. Elle prenait toute la place. Elle occupait tout l'espace, tout le territoire de la relation avec son fils. »

« Tais-toi, Robert ! » Cette injonction fusait surtout quand leur fils était là. Maman Juppé ne voulait pas de concurrence. Elle n'en a pas eu. Devant le fils, le père ne parlait pas. Ils ne se sont donc pas parlé. Alain Juppé n'en a pris conscience qu'au « dernier moment », comme il me le confiera, un matin de l'hiver 2006. Nous étions dans son bureau, à la mairie de Bordeaux, et je lui demandais pourquoi il n'avait pas davantage évoqué son père, dans ses livres, ses interviews, pourquoi il n'y en avait que pour sa mère. Il avait commencé par balayer ma question : « J'en parle peu parce qu'il n'y a pas grand-chose à en dire. C'était un homme très simple, qui a eu une existence extrêmement simple. Ça doit être plus facile pour Jean-Louis Debré de parler de son père que pour moi de parler du mien. » Juppé avait débité ça tout à trac. Puis sa voix s'était cassée. Quand il a voulu s'éclaircir la gorge, ça faisait le bruit du chagrin. Il y a renoncé. Et s'est mis à parler bas, lentement, très lentement : « Quand le médecin m'a dit : "Il n'y a plus rien à faire", j'ai voulu aller passer la dernière nuit avec papa dans sa chambre à l'hôpital. C'est à ce moment-là que la morphine a commencé à faire de l'effet. Je l'ai entendu respirer toute la nuit, mais il n'y avait plus de communication possible. J'étais là, près de son lit, et je me disais : "C'est trop tard, j'arrive un peu trop tard pour parler." On ne s'était pas beaucoup parlé. Je l'ai réalisé tout à coup. »

Robert Juppé est mort en 1998, son fils avait cinquante-trois ans. Ils n'avaient pas su. Pas pu.

Huit ans plus tard, Juppé entreprit de m'expliquer pourquoi. « Papa avait une enveloppe très difficile à percer. C'était un homme assez timide qui ne se livrait pas. Il était bourru, rude, brutal. » Aussi différent de son fils qu'on peut l'être : Robert Juppé était petit, trapu, baraqué comme le joueur de rugby qu'il était, dévoué, le cœur sur la main, volontiers gueulard et grossier, du genre à aller taper le carton avec ses copains rugbymen au café du coin et à traiter (gentiment) sa fille et sa belle-fille de tous les noms d'oiseaux. Quand, en 1978, Alain Juppé s'est mis à faire de la politique et qu'il a cherché à se faire élire dans les Landes, le papa est devenu militant RPR. Pendant de très longues années, il a tenu la permanence de son garçon. « Il ne fallait pas toucher au fiston, se souvient l'élu bordelais Hugues Martin. Il parlait d'Alain avec des yeux grands comme des soucoupes et des trémolos dans la voix. »

Il en parlait beaucoup mais n'osait pas lui parler à lui. « Papa n'avait jamais dépassé le certificat d'études, et assez vite il a nourri un complexe vis-à-vis de moi. » Juppé n'oubliera jamais ce dîner organisé par les parents de l'un de ses très bons copains, Jacques Kaufmann, lorsque les jeunes gens furent reçus à l'École normale. Les hôtes, qui étaient tous deux professeurs de philosophie, avaient invité les parents de Juppé. La conversation roula sur Kant. « Je voyais mon père et ma mère, ils étaient perdus, c'était terrible ! Heureusement, ces gens adorables s'en sont rendu compte et ils ont parlé d'autre chose. »

Ce soir-là, Alain Juppé a eu un peu honte de ses parents, tout en ayant honte d'en avoir honte. Cet écartèlement fut celui de sa vie. Son physique aristocratique démentait ses origines sociales. Son mépris de la bêtise plus encore. Les gens modestes ne sont pas arrogants et élitistes, c'est bien connu... Très vite, Juppé fut rangé dans la catégorie des Fabius. Il s'est laissé confondre avec ceux-là, il n'a pas rappelé qu'il était un enfant du peuple, il n'a jamais vraiment dissipé ce malentendu, cette incompréhension liminaire. Il était bien immodeste, pour un fils de paysan. Il ne s'est jamais étendu sur son histoire familiale. « Maman a eu une histoire assez curieuse que je connais mal : elle s'est mariée très, très jeune avec un homme qui menait la belle vie. Elle a eu deux enfants et, ce qui était alors très surprenant, elle a divorcé rapidement. On était en 1938. Puis, pendant la guerre, là encore dans des conditions que je n'ai pas très bien comprises, elle a rencontré mon père qui était au maquis. Elle avait cinq ans de plus que lui. Il n'était pas de son milieu social : le père de ma mère était propriétaire terrien, il aurait pu vivre de ses rentes, mais il a fait des études et il est devenu juge d'instruction à Mont-de-Marsan. Mon père, lui, était d'origine ouvrière. Aux yeux de la famille de ma mère, ce fut une mésalliance. Quand je suis né, ma mère avait trente-cinq ans, ce qui à l'époque était âgé. Je n'en sais pas beaucoup plus. Elle ne m'en a jamais vraiment parlé et je ne l'ai jamais vraiment interrogée. »

C'eût pu être un beau sujet de conversation avec le père...

Âme en peine

Entre Juppé et Dieu, l'histoire a commencé sous
des auspices drôlement ambitieux. On ne saurait
avoir impunément nourri, enfant, le désir « très
sérieux » de devenir pape... « C'est très sérieux,
ça », a souvent insisté Juppé, qui ne me trouvait
pas convenablement impressionnée par cette ambition « première », à tous les sens du terme. Vouloir être pape. Ça ne s'invente pas. Surtout quand,
comme lui, on est incapable de romancer sa vie, ou
même d'en replâtrer certains murs. Juppé n'est pas
du genre à forcer le trait ou le coup de peinture.
S'il dit qu'il a désiré devenir pape, c'est qu'il s'y
est vraiment employé, et pas du tout à la légère.
Certes, il n'avait que six ans, mais il a fait ce qu'il
fallait, et pendant presque cinq années. Quitte à
confondre foi et ambition.

Dès qu'il est entré dans le chœur des enfants de l'église de Mont-de-Marsan, il a voulu en prendre la tête. Et pourquoi s'arrêter aux vingt enfants de chœur de sa petite ville landaise, pourquoi d'ailleurs s'arrêter aux enfants, quand on peut viser le grade suprême : le commandement de tous les croyants ? « Quel enfant de chœur n'a-t-il jamais rêvé d'être pape ? » écrira plus tard François Mitterrand[1].

L'enfant Juppé grimpe très vite dans la hiérarchie du chœur : il est promu thuriféraire puis cérémoniaire, « c'est-à-dire chef », soulignait-il, à soixante ans passés, avec une fierté intacte. « Chef. » Tout commence et tout finit là. « J'avais déjà cette envie d'être chef. » Sa vraie foi, celle que jamais il n'a questionnée, celle dont il ne saurait douter, c'est celle-là : l'envie de mener des hommes.

Être assis sur le trône de Pierre, c'est commander à des centaines de millions de fidèles qui se prosternent devant vous, boivent vos paroles et vous obéissent à l'index et à l'œil. C'est mieux que patron des armées ou même d'un pays, surtout pour un petit garçon mystique. Il ne l'était pas qu'un peu. La liturgie de la Sainte-Église Catholique, Apostolique et Romaine l'impressionnait ; il en aimait

---

1. François Mitterrand, *La Paille et le Grain*, Flammarion, 1975.

le cérémonial fastueux et encensé. « J'adorais les belles messes, l'église pleine à craquer, l'émotion, la ferveur, les chants, l'enthousiasme, la foi communicative. J'y suis encore très, très sensible. Il faut du spectacle. Je me laisse entraîner. C'est mon côté Chateaubriand : les pompes de l'Église catholique produisent toujours sur moi leur petit effet. »

Y compris quand ça swingue. Il n'était que de voir la tranquillité de son visage, le 14 mai 2011, lors de la messe baroque concélébrée par vingt-cinq prêtres à l'occasion de l'investiture de Michel Martelly, le nouveau président de la République d'Haïti, dans les jardins du palais national transformé en cathédrale. Tandis que, deux rangs devant lui, Bill Clinton consulte ses SMS en mâchouillant son chewing-gum et que, à sa droite, l'ambassadeur de France tripote son BlackBerry, Juppé suit religieusement, dans le livret, le déroulé de la cérémonie. « Reconnaissons, mes frères, que sans Dieu rien n'est bon », tonne, devant un drapeau du Vatican, l'archevêque de Cap-Haïtien, avant de sermonner le nouveau président : « Prenez garde à ne pas vous laisser influencer par des idéologies qui ne favorisent pas l'inculcation de nos valeurs. »

Ce que Juppé a préféré, ce n'est pas ce discours politique signant la confusion de l'Église et de l'État, ce sont les chants et les prières. À deux reprises il s'est signé. Ses lèvres ont marmonné le *Notre Père*.

Il a serré les mains de tous ses voisins et leur a souhaité la paix. Malgré la terrible chaleur, les effluves entêtants d'encens, la longueur de l'office – plus de deux heures –, il n'a pas manifesté le moindre signe d'impatience. « C'était beaucoup moins long que la béatification de Jean-Paul II, commente-t-il à la sortie. Ce jour-là[1], j'ai dégusté. Les rois et les reines étaient sous le chapiteau et nous, les gueux, on était au soleil. Pendant quatre heures ! »

Il faisait mine de se plaindre, mais c'est lui qui avait souhaité y assister. « J'avais envie de voir une très belle cérémonie vaticane. Je n'ai pas été déçu. » Sourire badin. « Pendant la moitié du temps, j'ai regardé la "chute de cheveux" d'une dame devant moi. Elle avait une superbe coiffure. Et un port de tête ! J'attendais de la voir se retourner... » Quelle piété !

N'allez en effet pas croire que cet homme nimbé de rationalité s'en remet tranquillement aux forces supérieures. « Quand je fais fonctionner mon cerveau, j'ai des doutes. » Et des rébellions. Lorsque Benoît XVI déclara, en mars 2009 : « On ne peut pas régler le drame du sida avec la distribution de préservatifs, qui, au contraire, augmente le problème », Juppé avait, sur son blog, accusé le pape de vivre « dans une situation d'autisme total ».

---

1. 1er mai 2011.

Quand, petite, sa fille Clara lui demandait si Dieu existait, Juppé aurait bien répondu « oui », avec la foi de sa femme Isabelle, mais il n'a jamais pu. Lui qui a réponse à tout séchait, là-dessus.

Après sa condamnation par la cour d'appel, en décembre 2004, juste avant qu'il ne démissionne de son mandat de maire de Bordeaux, il s'est rendu à… Lourdes. Tout seul. Lourdes. Il y était allé tant de fois quand, enfant de chœur, il appartenait au groupement des « chevaliers du Christ ». Juppé fut un jeune chevalier du Christ, jadis. Pas vraiment des scouts, plutôt des pèlerins. Lourdes, c'est son enfance, ce temps où il croyait croire.

Quand il y retourna, après son épreuve judiciaire, il fut saisi du même « trouble ». « On sent qu'il y a quelque chose. Je ne sais pas quoi. Je ne dirai pas qu'il y a une présence, parce que je n'en suis pas encore à ce stade, mais il y a quelque chose. Il y a un lieu, il y a un silence, il y a une densité, une résonance, quelque chose, comme si l'air changeait. »

Il n'a pas vu la Vierge. Il a erré. Âme en peine. Les gens lui fichaient la paix, peut-être ne le reconnaissaient-ils pas, il y avait beaucoup d'étrangers, nul n'est venu lui parler. Il ne dit pas qu'il s'est recueilli. Il dit qu'il allait moins mal en repartant. À l'entendre, « il y a des lieux comme ça ». Des lieux « magiques » où volettent les particules sacrées. Il y a Lourdes, il y a Vézelay. Notre-Dame de Paris, également. Et puis la basilique Saint-Marc. Sa « tentation de Venise », c'est aussi cela. Si seulement on pouvait en interdire l'accès à « ces cohortes de touristes qui passent là comme s'il n'y avait rien que la pierre. Je rêve de me faire enfermer dans Saint-Marc et d'y passer la nuit, seul, avec la possibilité d'actionner la lumière pour éclairer les mosaïques ». Où l'on voit qu'il était plus porté sur la culture que sur la prière. À moins qu'il ne les ait jamais dissociées. À l'époque, il se sentait abandonné de tous. Maintenant qu'il est l'objet de ce que les sorciers appellent un « retour d'affection », en remercie-t-il Dieu ?

Tous ces jours
où il n'a pas su dire non à Chirac

C'est une affaire oubliée qui en dit long. On est en 1992, au tout début du printemps. Alain Juppé travaille pour et avec Jacques Chirac depuis seize ans. Il veut se porter candidat à la présidence du conseil régional d'Île-de-France. Déjà, Chirac lui a fait valoir ses réserves : « Le conseil régional, ce n'est rien. Ça ne vous apportera rien. Vous n'avez rien à y gagner, vous n'avez que des coups à prendre. Votre destinée, c'est de me succéder à la mairie de Paris. C'est ça qu'il faut faire. N'y allez pas, c'est une erreur. » Parce qu'il a envie de conquérir un peu d'autonomie, Juppé s'entête : « Si, si, je veux y aller. »

Le lundi 23 mars 1992, lendemain du scrutin, le conseiller régional nouvellement élu convoque dès 8 h 30 ses plus proches collaborateurs dans son bureau de l'Hôtel de Ville. Certes, les résultats de la droite parlementaire déçoivent un peu Juppé. Mais, martial et gonflé à bloc, il annonce à ses lieutenants : « J'y vais ! Je vois Chirac dans trente minutes pour lui faire part de ma décision. » Il revient une heure après et dit aux mêmes : « Je n'y vais pas... » Dans l'intervalle, Chirac l'a « retourné comme une crêpe », selon l'expression d'un proche de Juppé. Pour lui demander de se retirer de la course, Chirac a usé de deux arguments. Primo, il lui a fait peur. « Mon petit Alain, vous allez perdre ! » Secundo, il en a appelé à son sens de l'intérêt général, ou plus exactement de l'intérêt de son camp – ce qui pour Chirac revenait au même. « Votre devoir, c'est de ne pas y aller, parce que si vous y allez, compte tenu de vos prises de position intransigeantes et hostiles à toute alliance entre la droite et le Front national, vous allez représenter une cible symbolique pour l'extrême droite, lui a-t-il fait valoir. Et c'est la gauche qui va gagner ! » Une menace plus que sérieuse, eu égard aux 13,9 % de voix s'étant, la veille, portées sur le FN à l'échelle nationale. En Île-de-France, le parti lepéniste a fait élire 37 conseillers régionaux, soit 14 de plus qu'en 1986.

Chirac connaissait assez « son » Juppé et ses faiblesses pour savoir que ce dernier ne partait au combat que lorsqu'il était (presque) assuré de le gagner. Rien de plus efficace pour le dissuader que de lui faire miroiter la défaite comme quasiment inéluctable. Juppé aurait dû savoir, pourtant, que les combats qu'on perd sont ceux que l'on ne mène pas...

Afin de lui faire passer la pilule, Chirac l'invite le jour même à déjeuner Chez Benoît, la brasserie parisienne chic établie – aujourd'hui encore – rue Saint-Martin. Chirac a préféré éviter le tête-à-tête. Autour de la table, ils sont quelques-uns à tenir la chandelle, notamment le sénateur Roger Romani, questeur de la ville de Paris. Pendant le déjeuner, Chirac prend un appel. Quand il revient, il a ces mots inouïs : « Mon petit Alain, je viens d'avoir Claude au téléphone. Vous avez eu raison de ne pas y aller. Le standard de l'Hôtel de Ville est débordé d'appels pour dire que vous avez fait le bon choix ! » Les convives se regardent, éberlués. « Menteur », siffle Romani entre ses dents.

Ce n'est pas la première fois que Chirac priait Juppé de renoncer à une ambition électorale. En 1981, au lendemain de la campagne présidentielle, le président du RPR avait promis à son cher collaborateur : « Mon petit Alain, il faut vous lancer en politique. Je vous ai trouvé un fief en or. » Juppé est alors investi dans la vingt-deuxième circonscription de Paris. Trois jours plus tard, Chirac le fait venir dans son bureau : « J'ai un service à vous demander. Il faut caser Bernard Pons qui va être battu dans l'Essonne. Est-ce que vous accepteriez de vous retirer à son profit ?

— Bah, si ça vous est utile, je me retire », répond sur-le-champ Juppé.

Il n'en finira jamais de le regretter. « Comme un con, parce que j'étais jeune, parce que je ne connaissais pas encore la musique, j'ai dit oui tout de suite, me racontera-t-il. J'aurais dû dire : "Non, c'est trop tard, j'ai commencé ma campagne, j'y vais." Chirac aurait calé. » Sa reddition ne lui est supportable que grâce à cette conviction que Chirac aurait « calé » si lui-même s'était obstiné. Il a besoin, Juppé, de s'inventer des raisons de pardonner ses manquements à Chirac. Plus ledit manquement est grand, plus Juppé est prêt à faire montre d'imagination. Un autre jour de 2009, alors que nous commentions l'actualité en déjeunant, il fit délibérément et sans transition rouler la conversation sur l'affaire du conseil régional, ce passé qui ne passait pas. « Ce fut très douloureux, commença-t-il, je n'ai pas compris pourquoi Chirac ne m'a pas soutenu. » Léger sourire. « Il y a quelque chose que je me dis au fond de ma tête, si vous voulez bien accepter cet argument : est-ce que Chirac ne s'est pas opposé à ce que j'y aille pour me protéger ? Pour me protéger de façon très précise de ce qui s'est passé au conseil régional et qu'il savait.

– Vous voulez parler de l'affaire des marchés truqués[1] ? »

– Oui. Je suis persuadé que Chirac s'est dit : "Si Juppé devient président du conseil régional, il sera dans la merde à cause de toutes ces histoires." Il a voulu me tenir à l'écart de ça.

– Lui en avez-vous parlé ?

– Non, jamais.

– Qu'attendez-vous ?

– Je préfère rester sur mon doute, il y a des doutes qui font du bien. »

Chirac a toujours su qu'il pouvait tout demander à Alain Juppé. Et pas seulement de renoncer à une élection législative ou à la présidence d'un conseil régional. À un titre, aussi. C'était à la veille des municipales de 1989. Chirac le prit à part : « Mon petit Alain, je veux que vous soyez mon premier adjoint. » Un mois après : « Ah, il y a Tiberi... Je suis obligé de le garder comme premier adjoint. Ça vous embête d'être deuxième adjoint ? » Et puis, quinze jours avant les élections : « Ah, il y a Dominati... Il fait des pieds et des mains pour rester

---

1. L'affaire, instruite à partir de 1997, mit au jour le financement des grands partis politiques – et notamment le RPR – par les marchés publics de construction et d'entretien des lycées de la région Île-de-France.

deuxième adjoint. Ça vous embête d'être troisième adjoint ? » Chaque fois qu'on lui a remémoré ces échanges, Juppé a haussé les épaules. « Je ne peux pas dire qu'il m'ait menti. Au moment où il m'a annoncé qu'il voulait que je sois premier adjoint, il le pensait. » Toujours ce besoin de trouver des raisons de ne pas (trop) en vouloir à Chirac. Il n'en considère pas moins que ce dernier l'a « un peu mené en bateau ».

De là à affirmer qu'il est parti à la conquête de Bordeaux parce qu'il ne faisait plus confiance à Chirac et à la promesse que ce dernier lui avait faite de lui donner la mairie de Paris, il n'y a qu'un pas. Juppé ne le franchira pas. « J'ai la certitude absolue que si j'étais resté à Paris, j'aurais été maire, me jurait Juppé en 2008. Chirac m'avait même dit : "Je suis prêt à vous l'écrire, on mettra la lettre dans un coffre." » Ce disant, Juppé fournit la preuve qu'il n'en était pas si sûr que ça, en tout cas à l'époque. Pourquoi, sinon pour désamorcer son scepticisme, Chirac serait-il allé aussi incroyablement loin dans sa profession de sincérité ? Quand vous avez en face de vous quelqu'un qui vous croit sur parole, point n'est besoin de lui donner des garanties écrites et mises sous clé…

Quand se répandirent les premières rumeurs annonçant le départ de Juppé à Bordeaux, les journalistes Nicolas Domenach et Maurice Szafran s'en vinrent visiter le ministre des Affaires étrangères de l'époque.

« On dit que vous allez à Bordeaux, commencèrent les deux compères. C'est faux, n'est-ce pas ? Paris est pour vous... »

Que n'avaient-ils dit ! Les pieds insolemment posés sur son majestueux bureau de ministre, Juppé leur fit une réponse enragée : « Eh bien si, je pars à Bordeaux ! Je n'ai pas confiance, Chirac est un menteur, il ne me donnera pas Paris ! »

On ne compte plus le nombre de fois en trente ans de « vie commune » où Juppé a traité Chirac de « menteur » devant des interlocuteurs sidérés. Quand on lui en a parlé, des années après, Juppé a fait mine de ne pas s'en souvenir.

« Quand Chirac me dit quelque chose, je sais si je peux le croire ou pas.

– Comment faites-vous ?

– Je regrette, mais moi je sens sa sincérité. Je la sens très bien. »

Il s'est irrité. Pas de réponse. Seulement ce monologue : « Il y a des gens auxquels il ment parce qu'il cherche à les séduire, comme Sarkozy et comme d'autres. Moi, et c'est une de mes grandes faiblesses, je ne mens pas aux gens. Chirac sait mentir, je le sais bien, mais je sais aussi quand il est sincère. Et sur Paris, il était sincère. Ça lui a fait de la peine que je ne reste pas. Et ça l'a

181

mis en difficulté, car il anticipait que Tiberi ne tiendrait pas la route longtemps... Je ne suis pas parti parce que je ne lui faisais plus confiance. Je suis parti parce que j'avais envie de sortir de son giron et de faire moi-même mes preuves. Je savais que certains pensaient que si j'avais été élu dans le XVIIIe arrondissement, c'était grâce à lui. Je voulais me prouver que je pouvais faire sans lui. »

Juppé est donc allé à Bordeaux, contre la volonté de son mentor. Son œuvre politique la plus méritoire – et unanimement reconnue –, il l'a accomplie au prix de cette émancipation.

Un début d'émancipation, pour être plus juste. En 1995, Juppé commence seulement d'essayer de couper le cordon avec son père en politique. C'est à cette époque que Chirac lui dira : « Je n'avais pas pris conscience que vous aviez grandi... Politiquement grandi... » Juppé soupira en me racontant cela : « Je me suis dit : "Il a enfin compris !" » Il l'avait pourtant nommé ministre délégué au Budget et porte-parole du gouvernement, puis secrétaire général du RPR, puis ministre des Affaires étrangères... Mais il le voyait encore comme un jeune collaborateur. « Juppé est resté le directeur de cabinet de Chirac. Son éternel subordonné », avait coutume de dire Charles Pasqua, qui se plaisait à brocarder la « vassalité » de Juppé vis-à-vis de Chirac.

Il faut dire qu'il en eut une démonstration édifiante, au début de septembre 1993, à Strasbourg, en marge des universités d'été du RPR. Juppé était alors secrétaire général du parti et ministre des Affaires étrangères. Il discutait avec Chirac dans un petit salon de l'hôtel. Entra alors Pasqua, ministre de l'Intérieur. Chirac : « Tu veux boire quelque chose, Charles ? » Pasqua : « Je veux bien un whisky sec. » Chirac se tourna vers Juppé : « Mon petit Alain, vous voulez bien aller chercher un whisky pour Charles ? » Maurice Szafran, qui assista à cette terrible scène, rapporte que « Juppé s'est pétrifié d'humiliation ». Mais il s'est exécuté.

« Jaloux comme un pou »
des autres fils du grand Jacques !

Quelques heures après avoir prié « (s)on petit Alain » de servir un whisky sec à Charles Pasqua, Jacques Chirac l'encensera, depuis la tribune : « Alain Juppé, qui est probablement le meilleur d'entre nous… »

« Probablement. » Tout le monde a oublié cet adverbe atténuateur. Tout le monde, sauf Juppé. « C'était quand même beaucoup plus modéré qu'on ne l'a dit, me fait-il remarquer presque quinze ans après. Bah, ça partait d'un bon sentiment. Je pense qu'il le pensait. Je pense qu'il le pense toujours, d'ailleurs… » Petit rire saturnien. Et de poursuivre, en plaisantant : « Son seul tort, c'est d'avoir dit "probablement". Il aurait dû dire "à coup sûr" ou "évidemment", ou encore "naturellement", qui est un de ses tics verbaux. Je suis naturellement le meilleur d'entre nous. C'est assez vrai, d'ailleurs... » Juppé badinait sans badiner.

Par la suite, il ne lui échappa pas que, à la page 493 du deuxième tome de ses Mémoires[1] publiés quelque dix-huit ans après cette fameuse déclaration, Chirac enleva l'adverbe : « Il reste pour moi, quoi qu'il arrive, le "meilleur d'entre nous". » Une onction définitive. Malgré tout, envers et contre tous, Juppé est demeuré la part non négociable de Chirac. Celui pour qui l'ancien président fut prêt à tout, y compris à dissoudre l'Assemblée nationale pour avoir une chance de pouvoir le garder à Matignon. Chirac admirait chez Juppé une limpidité intellectuelle qu'il n'avait pas. Ça n'en fait pas un sot, il s'en faut. Chirac est cet homme qui a eu l'intelligence, trente ans durant, de « tromper les cons », comme il disait, en se faisant passer pour un benêt. Se faire mépriser à mauvais escient par des prétentieux, il n'y a pas mieux pour se protéger du mauvais œil. « Il avait raison de faire ça », estime Juppé, qui sait combien il lui a politiquement coûté, à lui, de n'avoir jamais su se départir de son image de lettré arrogant.

1. Jacques Chirac, *Le Temps présidentiel : Mémoires*, tome II, NiL éditions, 2011.

« Chirac connaît moins bien que moi la littérature grecque ou latine, mais j'ai toujours été incapable de soutenir une conversation avec lui sur la Chine, sur le Japon et plus largement sur tout ce qu'il a mis dans le musée du quai Branly. »

Il plaisait à Chirac de faire mine d'abandonner à Juppé le registre de l'intelligence et de la culture. Combien de fois, quand il voulait couper court à une discussion, Chirac ne lui cloua-t-il pas le bec avec ces mots : « Vous êtes beaucoup plus intelligent que moi » ! Ou bien une variante : « L'intelligent, c'est vous ! » Il disait ça pour énerver Juppé. Et ça marchait. L'autre était piqué. Il me le confirmera : « S'il me dit que je suis plus intelligent que lui, c'est qu'il ne le croit pas. » Ce à quoi on lui opposa une moue plus que sceptique. « OK, il le croit un peu », admit-il, soudain ravi.

« Jacques a un vrai complexe vis-à-vis d'Alain », m'assurera Pierre Mazeaud, ami de Chirac et ex-président du Conseil constitutionnel. Et la certification ultime viendra de la plus véhémente des ennemis de Juppé, Marie-France Garaud : « Chirac pensait que Juppé était plus intelligent que lui. Juppé lui apportait une caution intellectuelle dont il croyait avoir besoin, ce qui était faux. Car Chirac avait de l'instinct et de l'intuition. Pas Juppé ! »

Soumit-on ce « compliment » à l'intéressé qu'il bondit : « Cette femme est une intrigante de couloir ! L'idée que quelqu'un d'autre qu'elle puisse avoir de l'influence sur Chirac lui était insupportable. » Cette dernière phrase, on l'a déjà entendue, dans la bouche de Michèle Alliot-Marie parlant... d'Alain Juppé ! « Il était jaloux comme un pou de tous ceux qui avaient une relation directe avec Chirac. C'est pour ça qu'il ne m'a jamais aimée. »

Chirac, Juppé le voulait pour lui. « Alain cherchait une exclusivité dans sa relation à Chirac, me racontera Françoise de Panafieu, qui les vit beaucoup ensemble du temps où Juppé et elle étaient les adjoints de Chirac à la mairie de Paris. Chaque fois que quelqu'un prétendait interférer, il remettait les pendules à l'heure. » Elle se souvient d'avoir dit à Chirac, à l'époque : « Philippe Séguin vous cherche. Il y a plusieurs demeures dans la maison du père. » Réponse de Chirac : « Je vais réfléchir... » « Et clac, poursuit Panafieu, Alain passait derrière et refermait soigneusement les volets. » Et Séguin les rouvrait. Et ainsi de suite.

Les deux hommes ont passé des décennies à se consumer de jalousie l'un pour l'autre. Aux yeux de Juppé, Marie-France Garaud et Michèle Alliot-Marie n'étaient rien, ou pas grand-chose. Nicolas Sarkozy à peine davantage. Longtemps, très longtemps, Juppé a traité Sarkozy sinon par le mépris, du moins par le dédain. Il se refusait à le prendre au sérieux, y compris comme rival. Alors que Séguin... D'emblée, Juppé a flairé en lui l'homme à haïr. Séguin, c'est le premier adversaire de Juppé. Premier dans l'ordre d'apparition, mais aussi dans l'ordre d'importance. Un adversaire jamais détrôné. Entre eux s'est nouée une indéfectible animosité. Chimiquement pure et parfaitement réciproque. C'était à celui qui l'emporterait sur l'autre dans l'affection de Chirac. Séguin a passé sa vie politique à mettre à mal, à défier, à pourfendre, toujours avec talent et parfois avec succès, la préférence que Chirac a très vite témoignée à Juppé. C'est dire si Juppé avait raison de le craindre. « J'ai toujours considéré que Séguin avait une influence néfaste sur Chirac, me dira-t-il sèchement. Je n'ai jamais compris la fascination qu'il exerçait sur Chirac. Je l'ai mis en garde à plusieurs reprises, mais Chirac me l'a foutu en permanence dans les pattes ! » Le seul fait de le raconter, plus de dix ans après, faisait remonter l'indignation et la colère. Intactes. Qui a dit que Juppé savait passer l'éponge ?

Ils se sont tant aimés. Et si mal…

« Si tu veux réussir en politique, petite, j'ai deux conseils à te donner. La première règle, c'est de regarder les gens quand tu leur sers la main. Juppé, il était trop pressé, il regardait toujours le suivant, ça l'a perdu. La seconde règle, c'est de ne pas se contenter de serrer les mains. Juppé ne l'a toujours pas compris, mais il faut embrasser les gens, ne serait-ce que parce que ça t'économise la main. Ne sois pas bégueule : embrasser, ça se fait avec tout le corps. » C'est ainsi que Jacques Chirac chapitra Valérie Pécresse quand il la fit venir dans son bureau de président, en 2002, après qu'elle eut été investie candidate UMP aux législatives dans la deuxième circonscription des Yvelines. Où l'on voit que Chirac n'était pas seulement béat d'admiration devant « (s)on cher Alain ».

L'« engouement très fort jamais démenti » – dixit un ami de Chirac – que Juppé a d'emblée suscité chez Chirac est une énigme que l'intelligence de Juppé ne suffit pas à résoudre. Mais alors quoi ? Juppé n'est pas un grand chaleureux prompt à se faire des amis, pas davantage un joyeux luron capable d'égayer vacances et soirées. Ça, ce serait plutôt Chirac. Juppé, c'est l'inverse. « Il n'y a pas plus différent de Chirac que Juppé », me certifiait la même Valérie Pécresse en 2007. Mais attention, ils ont des passions communes. Contrairement aux apparences, Juppé aime « bouffer ». Il faut le voir dévorer du sorbet au chocolat jusque dans votre assiette en vous disant : « Le meilleur sorbet au chocolat du monde, c'est celui qu'ils servent au bord de la piscine du Cipriani, sur l'île de la Giudecca, à Venise. » Il prononce chacun de ces mots en prenant le temps, en détachant les syllabes, avec délectation. La dernière fois qu'il m'a fait le coup de finir mon dessert, c'était au restaurant du Mama Shelter, à Bordeaux, à quelques jours du premier tour des élections municipales de mars 2014. Et il reparlait du « sorbet au chocolat du Cipriani ». Pause. « J'aime les hôtels de luxe. Je n'ai pas les moyens, sinon j'irais tout le temps. » Reprenons : Juppé aime donc les mets raffinés et les beaux hôtels, et aussi le vin et les femmes. « C'était quand même un foutu cavaleur ! » me dira Christine, sa première épouse. Lui ne dément pas : « Entre 1980 et 1990, ce furent mes dix glorieuses. J'ai papillonné. J'étais fait pour avoir un harem. » Rire enjoué. Une galéjade que l'on aurait plutôt attendue dans la bouche de Chirac. Car Juppé a beau être moins sage qu'il n'y paraît, il a toujours été plus modéré que son mentor...

Ce que les deux hommes avaient vraiment en partage, et à niveau égal, c'est la pudeur. « Une certaine retenue, une certaine réserve dans la relation interpersonnelle », selon Juppé. Une façon presque raide – y compris chez Chirac... – de protéger leur quant-à-soi. Surtout, il est un point sur lequel ils s'étaient vraiment trouvés : le sens du commandement – ce que Juppé appelle l'« aptitude à animer des équipes ». Et puis c'est tout. Juppé lui-même ne trouva pas d'autres similitudes, quand on le lui demanda. Le reste, tout le reste, ne fut que dissemblances. « Chirac a une force, une diplomatie, une habileté, une séduction extraordinaires que je n'ai pas », constata Juppé, qui n'en finirait jamais d'admirer le « charisme de Chirac, sa capacité à susciter des attachements passionnés, de l'engouement populaire ». À l'un la séduction et la démagogie ; à l'autre le sérieux et la rigueur. Chirac ne pouvait pas être cérébral et cultivé ; Juppé l'était pour deux. Juppé ne pouvait pas être sympathique ; Chirac l'était pour mille. Chacun s'est retrouvé prisonnier de son personnage. Oh, certes, Juppé n'a pas eu à se faire violence pour jouer le rôle le plus ingrat. Mais n'était-ce pas aussi pour ça que Chirac l'avait choisi ?

Évidemment, le « fils préféré » a une autre explication. Voyez plutôt comment, en 2009, il justifiait l'entichement durable de Chirac à sa personne : « J'ai une espèce de stabilité caractérielle qu'il n'a jamais pu trouver chez Séguin, Sarkozy ou Villepin, trois hommes qui sont caractériellement instables. Séguin, c'était une scène par jour ; Sarko, c'était l'agression en permanence, y compris en public ; Villepin aussi s'était mis à monter sur ses grands chevaux. Comme Chirac a peur de la confrontation individuelle, il a eu la trouille de Séguin comme de Sarkozy ou même de Villepin. Cette peur de Chirac vis-à-vis de types qui le brutalisent est tout à fait étonnante. Moi je n'ai jamais fait de scènes, jamais piqué de colère, je ne l'ai jamais brutalisé. Il m'aime bien pour ça. En raison de cette espèce de calme qui le rassure. Et puis en raison de ma fidélité, bien sûr. Il sait que je ne lui planterai jamais un poignard dans le dos, que, si je ne suis pas d'accord, je le lui dirai, mais que je ne le trahirai pas. » Soupir. « Ceux qui s'en sont le mieux tirés avec lui sont ceux qui lui voulaient le moins de bien. C'est paradoxal, mais c'est comme ça. »

On sentit de nouveau poindre la jalousie. À l'entendre, Chirac aurait été plus faible et plus gentil avec les autres. Mais alors, pourquoi n'être pas allé voir ailleurs ? « À cause de la confiance qu'il m'a toujours témoignée ! Quand j'étais à Matignon, j'ai eu avec l'Élysée une totale absence de conflit. Je n'ai pas le souvenir d'avoir eu de désaccord. Il me faisait confiance, peut-être trop, d'ailleurs. Si je devais lui reprocher quelque chose, ce serait plutôt de m'avoir laissé trop faire trop de choses, sans me dire à certains moments : "Attention, là, vous allez trop vite !" Sur les fameuses réformes de l'automne 1995, il me mettait en garde, mais il concluait toujours en disant : "C'est vous le patron. Si vous pensez qu'il faut y aller, allez-y !" Donc, il m'a vraiment laissé la bride sur le cou. Et j'appréciais ça. » Ce que Juppé fait mine d'oublier, c'est qu'en contrepartie de cette confiance il lui fallut, durant ces deux années, suivre les petites instructions de Chirac, y compris quand, en s'y conformant, il avait le sentiment de « faire une connerie », comme il disait alors à ses plus proches collaborateurs.

Juppé et Chirac se sont aimés... sans jamais vraiment se le dire. L'expression des sentiments n'est le fort ni de l'un ni de l'autre. Entre eux, certaines barrières n'ont jamais été levées. Jusqu'au bout ils se vouvoieront. Quand Juppé arrive auprès de Chirac, en 1976, il a trente et un ans ; Chirac a beau n'avoir « que » treize ans de plus que son nouveau collaborateur, il est déjà Premier ministre. Leurs âges auraient commandé que l'un soit le grand frère de l'autre ; leurs situations respectives ne le permettront pas. « La relation qui s'est d'emblée établie est plutôt de type père-fils que d'égal à égal », nota Juppé, qui n'a jamais pu tutoyer Chirac. Ce dernier n'a cessé de lui prodiguer des conseils paternalistes, notamment celui de grossir – « Mangez, mon petit Alain, vous aurez l'air plus sympa avec quelques kilos en trop ! » – et d'arrêter de jogger – « Vous courez trop. Vous finirez mal. Il n'y a qu'une règle qui vaille : *"No sport"*. Ça a réussi à Churchill ! »

Juppé ne lui a pas obéi. Il a gardé la ligne ; il a couru jusqu'à ce que ses genoux le lâchent. N'allez pas croire que pour autant il regrette de n'avoir pas écouté Chirac. Il n'est que de voir cette remarque qu'il me fit dans un avion, en mai 2011 : « Je n'ai plus de genoux ; mais Chirac, lui, ne peut plus marcher. » Quand il se rendit compte de la méchanceté que recelait son propos, il esquissa un sourire penaud. Trop tard.

Trahisons et (petites) vengeances

Dans le partage des rôles avec Chirac, Juppé n'en a jamais revendiqué qu'un seul : celui de l'irréprochable. Si l'un des deux a manqué à l'autre, ce ne saurait être lui. Honte à ceux qui l'accusèrent d'avoir tardé à soutenir Chirac, en 1995. Et ils furent quelques-uns : même François Bayrou, qui depuis longtemps tient Juppé pour l'un des rares hommes « estimables » du monde politique, assurait que ce dernier lui a avoué avoir « failli rejoindre Balladur ». Charles Pasqua enfonça le clou devant moi : « Je n'aime pas les girouettes. Juppé est une girouette. Je me rappelle encore de Juppé nous disant, début février 1995 : "Je vais aller trouver Chirac pour qu'il se retire." Puis les sondages se sont renversés et il a soutenu Chirac. Ce n'est pas terrible, ça fait arriviste. » Michèle Alliot-Marie alla jusqu'à raconter qu'en décembre 1994

Juppé serait venu la trouver pour lui demander à elle de convaincre Chirac de retirer sa candidature. « C'est une cabale ! s'insurgea Juppé lorsque je le priais de m'avouer qu'en effet il avait hésité. Ce sont des mensonges honteux ! Ce qui est vrai, c'est qu'en décembre-janvier j'ai douté de la victoire de Chirac. Mais jamais de l'engagement qui serait le mien. Jamais ! À l'époque, j'ai été l'objet de danses du ventre, pas de Monsieur Pasqua lui-même, mais de Nicolas Bazire et Nicolas Sarkozy, qui m'expliquaient qu'ils ne comprenaient pas ma position, que si Balladur était élu, je serais Premier ministre. Sarkozy m'a même dit : "Il faut que tu demandes à Chirac de retirer sa candidature, afin que Balladur soit élu au premier tour." Voilà la vérité ! » Juppé était convaincu que Chirac allait perdre, et résolu à perdre avec lui.

Il n'a jamais su dire non à Chirac. Ça lui a rapporté gros et ça lui a coûté cher. Sans doute parce qu'il avait mis toute sa force de contradiction dans sa décision de quitter Paris pour Bordeaux, il eut bien du mal à passer au stade d'affranchissement suivant. En 2002 encore, alors que sa mise en cause dans l'affaire des emplois fictifs l'empêchait de redevenir Premier ministre, il se serait bien vu président de l'Assemblée nationale. Jusqu'à ce que Chirac, qui comptait sur lui pour diriger l'UMP nouvellement créée, ne l'en dissuade. Il lui aura suffi de prononcer les quatre petits mots qui ont toujours eu le don de paralyser Juppé : « Vous allez être battu ! » Juppé fit donc ce que Chirac voulait. Et Pasqua persiflait de plus belle : « Philippe Séguin avait le charisme, il lui manquait la ténacité. Juppé n'a ni l'un ni l'autre. »

Parfois, la loyauté sert de paravent à la lâcheté. Prendre le risque de n'être plus un collaborateur en culottes courtes, ça voulait dire tuer le père. Un processus que Juppé n'a enclenché que tardivement. Il a fallu sa condamnation, puis son exil ; il a fallu que, tout en s'en défendant, il en veuille secrètement à Chirac de l'avoir laissé seul affronter les juges dans l'affaire des emplois fictifs du RPR. De l'avoir abandonné à son triste sort judiciaire. Il n'était que d'entendre Juppé réfléchir à haute voix devant moi, à l'automne 2009, quand Dominique de Villepin venait de réussir à transformer en une formidable tribune politique sa comparution en première instance devant le tribunal dans l'affaire Clearstream : « J'aurais pu faire la même chose que Villepin et me servir du procès comme d'un tremplin. Mais il eût fallu que je me victimise. Or se victimiser, ça voulait dire désigner Chirac comme coupable et ça, je ne le voulais pas. »

Le procès est le nœud coulant qui a étranglé leur histoire. Le nœud et le non-dit. Ils n'en ont jamais vraiment parlé. Juppé ne lui a rien demandé, Chirac ne lui a rien proposé.

« Il ne pouvait rien faire, sauf à se flinguer lui-même, m'exposait Juppé à son retour d'exil. Je pense que les positions qu'il a prises se justifiaient par un intérêt supérieur. Admettons les choses ainsi. » Brusquement, sa voix est devenue lasse. Il a toutefois poursuivi : « Chirac n'allait pas, dans la position où il était, s'exposer. La priorité, c'était qu'il puisse poursuivre sa tâche. Je ne lui en veux pas parce qu'il a pensé qu'il devait préserver la fonction, le présent.

« Mais vous étiez l'avenir, non ?

– ...

– Vous êtes-vous dit, fût-ce une seconde, que Chirac aurait pu avoir une autre attitude ?

– Peut-être cette idée rôde-t-elle quelque part, dans mon inconscient... Mais je n'ai rien attendu.

– Ce n'est pas ma question.

– Vous avez raison. C'est ma façon d'éluder votre question. »

Jamais Jacques Chirac n'a remercié Alain Juppé de l'avoir protégé, dans l'affaire des emplois fictifs. Rien, pas une allusion. Ces mots qui ne sont jamais venus ont libéré Juppé.

Le fils préféré a puisé dans ce ressentiment qui ne dit pas son nom la force de résister aux desiderata de son père en politique. Au printemps 2006, alors qu'il est encore exilé à Montréal, le président lui demande de se tenir prêt à affronter Sarkozy.

Chirac : « Les Français vous aiment. »

Juppé : « Écoutez, ce n'est pas trop ce que je vois… »

Juppé ne veut plus « se laisser instrumentaliser », selon l'expression qu'il répète en boucle à l'époque. « Ça a un peu blessé Chirac, me racontait-il alors. "Ma dernière carte, c'est lui. Et il me laisse tomber", voilà ce qu'il s'est dit.

– A-t-il tort ?

– J'ai jugé que ce n'était pas mon intérêt. »

Il se révoltait contre celui qui avait usé et abusé de ses services. En effet, quelques mois plus tard, en novembre 2006, il déclara publiquement que Chirac avait un « bilan contrasté ». Il savait que l'expression déplairait à Chirac. Lequel s'est bien gardé de lui en faire le reproche. « J'ai dit ce que je pense, voilà tout », se justifiait Juppé devant moi. Peu de temps après, tout nouveau ministre de l'Environnement de Sarkozy, il déclara, le 20 mai 2007, sur RTL, au sujet de la perte par Jacques Chirac de l'immunité pénale dont il avait bénéficié durant ses douze années à l'Élysée : « Le président a un statut quand il est président de la République. Quand il n'est plus président de la République, il est un citoyen comme les autres. » Ça avait le mérite d'être clair. Et on ne peut plus distancié…

Quelques mois auparavant, Juppé avait porté le coup de grâce à Chirac, en se prononçant en faveur de Nicolas Sarkozy alors même que Chirac le priait d'attendre.

« Ne faites rien de définitif, Alain. Laissez la porte ouverte, ne dites rien, mettez-vous en réserve, attendez le mois de mars, Sarkozy sera usé et là, vous pourrez être candidat. Une campagne, c'est un mois et demi...

– Non ! En janvier, au moment du congrès d'investiture, je dirai quelque chose. »

In fine, Sarkozy lui arrachera son soutien dès le 21 décembre 2006. Ce jour-là, Juppé n'a pas seulement désobéi à Chirac. Il l'a trucidé. Trente ans exactement après être entré à son service, il a enfin osé tuer le père. En conscience. « Je me sens tout à fait autonome, m'assurait-il une semaine plus tôt. Je ne conditionne plus mes actes à ce que Chirac peut penser, dire ou faire. J'ai viré ma cuti. Il veut m'utiliser pour déstabiliser Sarkozy, et qu'importe si j'éclate en vol. Eh bien non. Ce n'est pas à Chirac de me dire : "Maintenant, il faut aller au charbon", alors que... » Juppé eut quelques scrupules à continuer. La colère prit néanmoins le dessus : « Ceux qui aujourd'hui se lamentent parce que Nicolas est le candidat incontournable devraient regarder l'histoire avec un peu de recul et s'interroger sur ce qui s'est passé. C'est Chirac qui

lui a servi ça sur un plateau ! » Et de poursuivre :
« Quand, après l'élection présidentielle de 2002,
Chirac en a fait le numéro deux du gouvernement,
rien ne l'y obligeait : ni la popularité de Sarkozy,
qui à l'époque était faible, ni les services rendus,
ni quoi que ce soit. » L'œil de Juppé se durcit,
le ton monta encore : « Chirac n'avait aucune raison de le nommer à un poste clé. Sarkozy n'avait
pas joué un rôle déterminant dans la campagne, il
n'avait pas avec Chirac des relations de particulière
fidélité – c'est le moins que l'on puisse dire – et
il ne s'était pas du tout investi dans l'Union en
mouvement puis dans l'UMP. Il n'avait aucune
légitimité ! Aucune ! »

Juppé avait beau ne pas ignorer que « Sarkozy a
comme qualité de savoir s'imposer de lui-même »,
que Villepin l'avait aidé à obtenir le ministère de
l'Intérieur, il n'en tenait pas moins Chirac pour
responsable de l'ascension de Sarkozy. Rien n'aurait été possible, voulait-il croire, si Chirac n'avait
pas signé le décret de nomination. « Quand Chirac
a fait ce choix, peut-être avait-il une arrière-
pensée, peut-être se disait-il : "Sarko va se casser
la gueule." Mais Sarko ne s'est pas cassé la gueule,
hein ! » Juppé avait mis dans ce « hein » tout son
dépit, toute son indignation, toute son impuissance. Toute sa rancune, également, car c'est de
cela qu'il s'agit. Il ne soupçonne pas Chirac de lui

avoir préféré Sarkozy ; il l'accuse de n'avoir pas mieux bridé son rival. « Sarkozy a vite compris que, quand on gueule un peu fort, Chirac esquive. Alors il n'a pas cessé de gueuler... Et ça n'a pas cessé de marcher ! Chirac a laissé Sarkozy faire son trou. » Juppé avait en tête chacun des épisodes où Chirac avait cédé à Sarkozy. « Quand j'ai démissionné de la présidence du RPR après la défaite de 1997, Chirac m'avait juré : "Sarkozy ne mettra jamais les pieds Rue de Lille tant que je serai là !" Trois jours après, il y était ! À peine avais-je tourné le dos que Chirac laissait Séguin et Sarkozy s'installer, ressassait Juppé. Ça, ce sont les inconséquences de Chirac... Après, il ne faut pas qu'il s'étonne de se trouver devant le fait accompli ! »

Il en avait gros sur le cœur, Juppé. Il n'en finirait jamais de s'offusquer de ce que Chirac se fût « laissé faire » par Sarkozy. Et par Séguin avant lui... Il n'oubliera jamais la « faiblesse de Chirac face à tout ça » quand, en 1990, alors qu'il était secrétaire général du RPR, Séguin avait, avec Pasqua, déclenché une offensive tonitruante contre lui. « Il a fallu que je me batte, il a fallu d'ailleurs que ce soit Balladur qui dise à Chirac un jour : "Si vous lâchez Juppé, vous vous déshonorez !" » In fine, Chirac fut solidaire de Juppé. « Mais ce n'était pas la peine, quelques années après, en 1995, de récompenser Séguin en le mettant à la présidence de l'Assemblée nationale ! À ce poste, il a passé son temps à essayer de me déstabiliser. » Long soupir. « C'est le chiraquisme dans toute sa splendeur : cette tentative de concilier l'eau et le feu. » Ce qui est sûr, c'est que Juppé n'est pas le feu...

Où l'on mesure la rancœur de Juppé à l'endroit de son mentor. « Il a vis-à-vis de Chirac les mots durs qu'on a pour un père », analyse fort justement un collaborateur de Juppé. Il aimerait ne pas lui en vouloir, il sait que nul ne comprendrait vraiment qu'il accable l'homme qui l'a fait et qui lui a tout donné, mais c'est plus fort que lui : il a de la colère. La colère de ces enfants prodiges promis par leurs parents au plus grand des destins et qui passent à côté. De ces enfants incapables, sauf à se remettre en cause dangereusement, d'accepter de porter la responsabilité de leur échec et qui font grief à leurs parents, sinon de leur avoir mis cette ambition impossible dans la tête, du moins de ne pas avoir fait tout ce qui était en leur pouvoir pour les aider à la réaliser. Ainsi en va-t-il pour Juppé. S'il n'a pas été le candidat de sa famille politique à la présidentielle de 2007, c'est, pense-t-il, par la faute de Chirac. Chirac qui n'aurait pas dû se laisser faire par Séguin, puis par Sarkozy. Chirac qui n'aurait pas dû nommer Sarkozy numéro deux du gouvernement en 2002. Chirac qui n'aurait pas dû l'abandonner, lui, Juppé, au moment du procès des emplois fictifs.

En apportant son soutien à Sarkozy en décembre 2006 alors que Chirac le priait de n'en rien faire, Juppé a tué le père. Enfin !

Depuis, il peut lui pardonner. Plus encore aujourd'hui que sa renaissance politique le conduit aux portes de l'Élysée, tandis que Chirac, lui, tutoie la mort[1]. L'héritier, c'est lui. Et cela lui est doux. Doux, oui. Tout arrive.

---

1. À l'heure où sont imprimées ces pages, Jacques Chirac est hospitalisé à la Pitié-Salpêtrière, à Paris.

Épilogue

« Est-ce qu'il peut y avoir des couples heureux qui ne font pas l'amour ? » C'est ainsi que le très sérieux Brice Teinturier, directeur général délégué de l'institut Ipsos, m'expose, en cette fin août 2016, la question qui, selon lui, déterminera le prochain scrutin présidentiel. Et le politologue de filer cette métaphore : « Juppé ne fait pas vibrer, il ne suscite pas des sentiments aussi puissants que Sarkozy, mais on peut vivre avec lui pendant cinq ans. » Pause. « Oui, je crois qu'il peut y avoir des couples heureux qui ne font pas l'amour. » Sans être extrêmement flatteuse, cette réponse est toutefois très prometteuse pour Alain Juppé. Si le maire de Bordeaux a des chances de gagner, ce n'est pas en dépit de cela. C'est grâce à cela. Parce qu'il ne passionne pas. N'avive pas les antagonismes. En dépit des conseils. « Juppé ne peut pas gagner sans faire campagne ! Il n'a pas de snipers, seulement des défenseurs. Il lui faut des attaquants ! » relève le communicant – et ami de Hollande – Robert Zarader. Mais voilà : Juppé n'écoute pas les communicants. Pas beaucoup plus les politiques. « C'est quoi, tes trois mesures clivantes par rapport à tes concurrents ? La seule chose que les gens ont retenue, c'est l'identité heureuse », l'a mis en garde Valérie Pécresse, lors d'un déjeuner au début de l'été 2016. Verdict de la présidente de la région Île-de-France : « Juppé, vous savez, il ne fait pas de la politique comme nous. Ça ne l'amuse plus... » Elle lève les yeux au ciel, Pécresse.

Juppé se veut au-dessus de tout cela. Oh bien sûr, ça l'amuse de savoir que Michèle Alliot-Marie considère que faire un meeting, c'est comme un orgasme – c'est elle qui me l'a dit, et moi qui l'ai dit à Juppé. Lequel m'a certifié illico, très sérieusement s'il vous plaît : « Ça ne me fait pas cet effet-là. Pas d'orgasme derrière le pupitre. » Il en va de la chimie intime comme de la politique, et vice versa. Juppé entend laisser à Sarkozy l'apanage de l'électrisation des particules dans l'air. D'un côté, charisme canaille, radicalité et folles embardées. De l'autre, raideur intègre, nuance et rationalité d'acier. Sarkozy versus Juppé. L'atout de Juppé, c'est qu'il a établi ce diagnostic depuis longtemps déjà. Il a payé pour savoir qui était Sarkozy et ce que lui, Juppé, n'était pas. C'est une force, d'avoir identifié ce qui vous manque. Sans compter l'événement de la rentrée 2016 : désormais, celui à qui, depuis quarante ans, on a mille fois dit qu'il devait changer et qui se l'est lui-même dit mille et une fois, a décidé de s'assumer tel qu'il était. Il fallait voir ses yeux sourire, à Chatou, derrière le pupitre, au moment de crever l'abcès qui a empoisonné sa vie : « "A-t-il changé ?" Voilà la question récurrente. Ai-je changé ? Ben je vais vous faire une confidence : je ne crois pas. » Juppé a toujours pensé cela mais jamais il ne l'a dit avec une telle confiance.

Pour la première fois de sa vie politique, il se dit que la victoire est à sa portée. Alors évidemment, il est trop raisonnable, trop pondéré, trop aguerri, trop fataliste, pour être habité par la certitude de la victoire ; il n'a pas, contrairement à Nicolas Sarkozy, Emmanuel Macron, Bruno Le Maire, ce « refus génétique et énergétique » – ce que m'a dit Yves Jego au sujet de Le Maire – d'imaginer qu'il peut perdre. « Psychologiquement, je ne peux pas me demander ce que je fais si je me plante », m'a exposé Emmanuel Macron dans la foulée de sa démission du gouvernement. Juppé n'est pas assez fou pour penser ça. Toujours il doutera ; toujours il imaginera qu'une défaite est possible. Mais là, il s'autorise à croire qu'il va gagner. Et à être qui il est. « Jamais je ne me suis senti aussi serein dans mon corps et dans mon esprit », a également affirmé l'ancien Premier ministre. « Serein. » Son défi : le rester en face de Sarkozy chaque fois que ce dernier tentera de le prendre au col, directement ou pas. « Il faut qu'on lui fasse donner des cours de sophrologie, plaisante un collaborateur du maire de Bordeaux. Pour qu'il ne s'arrête pas de respirer quand Sarkozy lui fera un mauvais coup ou que les journalistes le bombarderont de questions relatives à l'autre. »

Juppé a beau être, sondage après sondage, l'homme fort de la compétition depuis plus de deux ans et susciter les éloges de nombreux socialistes – « Il ferait un super président dans le moment que nous traversons », m'a ainsi confié le ministre Thierry Mandon –, les membres de sa famille politique restent étrangement circonspects. « Je me demande bien qui va gagner cette primaire, avoue le libéral Hervé Novelli, qui a compris que ce ne serait sûrement pas son candidat, Fillon. Pour moi, Juppé, c'est Pétain. Pas dans les idées, bien sûr ! Et puis Juppé ne sera jamais un collabo. Mais il y a un parallèle à faire en terme de posture. Parce qu'elle est en état de défaite morale, la France se donne au plus couturé. Le maréchal, en 1940, c'était le meilleur d'entre nous. » Objet de fantasme, vous dit-on.

« Juppé va s'effondrer. Ça se finira entre Sarkozy et moi », a prédit pendant des mois et des mois Bruno Le Maire en petit comité. Les hauteurs des courbes sondagières auraient-elles grisé le troisième homme de la primaire au point de lui faire perdre la tête ? Il est convaincu, Le Maire, que la popularité de Juppé ne se traduira pas dans les urnes. Que Juppé aura un problème de mobilisation au premier tour de la primaire. Que les Français n'iront pas au bout de l'idée de Juppé. L'idée de Juppé. C'est plus joli que fantasme, mais ça veut dire la même chose.

Attention : il est des fantasmes qui deviennent réalité. Les meilleurs d'entre eux ?

Table

*Cet ouvrage a été composé
par Nord Compo à Villeneuve-d'Ascq (Nord)
et achevé d'imprimer en France
par CPI Firmin-Didot
à Mesnil-sur-l'Estrée (Eure)
pour le compte des Éditions Stock
21, rue du Montparnasse, 75006 Paris
en octobre 2016*

Stock s'engage pour
l'environnement en réduisant
l'empreinte carbone de ses livres.
Celle de cet exemplaire est de :
500 g éq. CO$_2$
Rendez-vous sur
www.editions-stock-durable.fr

PAPIER À BASE DE
FIBRES CERTIFIÉES

Imprimé en France

Dépôt légal : octobre 2016
N° d'édition : 01 – N° d'impression : 137246
58-07-8368/7